捨てられ令嬢、
王子様に
溺愛（演技）
される
婚約破棄の先に
Mari Morikawa
森川 茉里
イラスト ボダックス

CONTENTS

「そちらは？　ライルのお知り合い？」

ディアナに尋ねられ、ライルはぐっと唇を噛んだ。

「失礼しました。俺の人違いだったようです」

「アスター、僕達も行こう」

アークレインがエステルの手を掴み、反対方向へと導いてくれる。

「侮れないね、彼。変装していた君を見抜くなんて」

小声での呟きが何故か心に刺さった。

一斉に人々の手元からスカイランタンが放たれ、
上空に向かって無数の灯火が昇っていった。
まるで蛍が一斉に飛び立ったかのような
幻想的な光景だった。
このまま時が永遠に止まればいいのに。
思わずそう願ってしまうくらい綺麗だった。
時々すごく意地悪だけど、
アークレインは基本的には優しくて、
エステルを尊重してくれる。
どうしよう。
知れば知るほど彼に惹かれていく。
——ああ、私はこの人が好きなんだ。

婚約破棄のその先に

捨てられ令嬢、
王子様に
溺愛（演技）
される

Mari Morikawa
森川 茉里

イラスト ボダックス

一章　婚約破棄と新たな出会い

ローザリア王国は、大ローザリア島に建国された島国である。

大ローザリア島は縦に長い島だ。そのため、島の北と南では別の国のように気候が変わる。

エステルの住むフローゼス領は、北部の山間（やまあい）に位置しているため、国内有数の豪雪地帯として知られていた。

七月は一年の中でも特に緑が鮮やかになる季節だ。山々は緑の絨毯（じゅうたん）に覆われ、放牧された豚や羊が牧草を食（は）むのどかな田園風景がそこかしこに見られる。飛竜の生息地が近く、時折大きな食害を受ける事はあるものの、フローゼスの夏は涼しくて過ごしやすい。

エステルはこの地を統治するフローゼス伯爵の妹である。

今日は来客がある予定だ。自室の窓から伯爵邸の庭をそわそわと眺めていると、馬車がやって来るのが見えた。

玄関近くに停車した馬車から、婚約者のライルとその父親であるウィンティア伯爵が降りてくる。

その姿を目にしたエステルは、喜びの表情を浮かべたもののすぐに眉をひそめた。

エステルの赤紫の瞳には、実は特別な力がある。生き物の持つマナを視覚的に捉えるという力だ。

マナとは生きとし生けるもの全てが持つ生体エネルギーの事である。高いマナを持って生まれてくる人間の中には、マナを源とした様々な異能に目覚める者がいて、『覚醒者（かくせいしゃ）』と呼ばれている。

普通は見えないはずのマナを、光として『視（み）る』力を持つエステルも一種の『覚醒者』だ。エステルの目には、マナは心臓を中心にぐるぐると渦巻く銀色の光に視える。

異能が目覚める条件は様々だ。鍛錬によって目覚める事もあれば、生死の境をさまよって目覚める事もある。エステルの場合は後者で、六年前、この地方で猛威を振るった猩紅熱（しょうこうねつ）という流行病にかかり、死にかけたのが覚醒のきっかけだった。

ちなみに、『覚醒者』は生まれつき高いマナを持つ王族に多い。異能とマナの量には相関関係があり、両者共に遺伝する。王族は絶対的な権力を維持するために、婚姻によって様々な『覚醒者』を取り込んできた。その結果、王家は他を圧倒する血統を、五百年以上もの間維持し続けている。

エステルが自分の能力を自覚したのは、熱が少し下がってきて魔導石に触れた時だった。

魔導石はマナを吸収してエネルギーに変換する石で、上下水道や魔導炉など、様々な魔導具に組み込まれている特殊な鉱石だ。

魔導石に触った瞬間、銀色の光が魔導石に向かって流れていき、エステルは自分の視界が病気にかかる前と後とで変わっている事に気が付いた。

また、この能力は生き物が持つマナを視覚的に捉えるだけではなかった。色々と自分で検証してみた結果、人間を視た場合、その人が抱く感情の方向性を暴くという事がわかった。

例えば、目の前の人物が喜びや幸せを感じていればマナは明るさを増して輝くし、悲しみや怒り、憎しみといった負の感情を抱いていれば昏く陰る。しかし人の感情が視えるというのはいい事ばかりではない。

この異能は人が持つマナの総量も、太陽のハロー現象のように視覚的に捉えてしまう。

マナは一般的に平民は少なく、階級が上がるにつれ多くなる傾向があるから、貴族社会でのマナの視え方は、よりエステルにとって圧迫感があり、すっかり社交界が苦手になってしまった。

また、この異能の厄介なところは、常に発動し、自分の意思でオン・オフの切り替えができない事だ。だから視たくなくても視えてしまう。おまけに目を閉じていても、直接目視する時より範囲は狭まるものの、自分の近くにいる生き物の気配と感情を光として感知できた。

正確にはこの異能は、目に備わった能力では無いのかもしれない。しかし、どちらにしてもわずらわしい事に間違いなかった。

エステルが馬車から降りてきたウィンティア伯爵とライルを見て眉をひそめたのは、二人とも揃ってマナがどんよりと陰っていたせいだ。

(何か悪い事でもあったのかしら……)

酷く嫌な予感がした。

◆◆◆

「お待ちしておりました。セドリック様、それにライル」

「お久しぶりです、ライル」

フローゼス伯爵家の当主は兄のシリウスである。そのシリウスと共に、エステルは婚約者とその父親を玄関口で出迎えた。

「久しぶり、エステル」

前に会ってから一か月ほど空いている。いつもはもっと嬉しそうなのに、今日のライルの表情は硬い。そして体内のマナはやはり酷く陰っている。エステルはじっとライルの顔を見つめた。

嫌な予感が当たっていた事はすぐにわかった。応接室に案内して席に落ち着くなり、ウィンティア伯爵が今回の訪問の目的を切り出してきたからだ。

「シリウス君。大変申し訳ないのだが、ライルとエステル嬢の婚約を無かった事にしてもらいたい」

目の前が真っ暗になった。周囲の音が急速に遠のいていく。

「婚約を白紙に、とは随分と突然ですね。どうしてそんな……」

シリウスも戸惑っている。ウィンティア伯爵はため息を交えながらぽつりぽつりと事情を話し始めた。

「去年の長雨の被害が予想より大きくてね……うちの恥を晒（さら）すようで本当に恥ずかしいんだが、一昨年、織物工場の設備投資を行った事もあって、財政がかなり厳しいんだ……」

フローゼス伯爵領とウィンティア伯爵領は隣接しており、気候も産業も共通点が多く、土地が痩せていて夏でも夜間は冷え込むため栽培できる作物が限られている。この地の領民の生活を支えているのは、家畜の放牧とじゃがいも、そして大麦やライ麦といった寒冷地でも育つ穀物の収穫だ。

去年の長雨の被害はフローゼス伯爵領でも他人事ではなかった。春から初夏にかけて降り続けた雨は、冷害だけでなく洪水まで引き起こしたので、この地域が受けた被害は甚大だった。そんな状況でフローゼス伯爵領がなんとか持ち堪(こた)えられたのは、領内に抱える魔導石の鉱脈の恩恵が大きい。

「赤字の補填のためにポートリエ商会からかなりの融資を受けたんだ。返済計画もしっかりと立てて、無理のないように返していく予定だったんだが……」

ポートリエ商会と言えば、央帝国(ヤン)やガンディアといった東洋との貿易で莫大な財を成したこの国有数の貿易商である。先代の当主が男爵位を得て、貴族の仲間入りを果たした家柄だ。

「ポートリエ商会のご令嬢がライルに一目惚れしたらしく、債権を盾にライルと結婚させてほしいと……」

エステルの前に座ったライルから、ギリ、と歯を食いしばる音が聞こえてきた。

ライルは、漆黒の髪に神秘的な紫の瞳を持つ禁欲的で精悍(せいかん)な印象の美形だ。ポートリエ商会のお嬢様が一目惚れするのもわかる。

「何故そこまで追い詰められる前に我々にご相談頂けなかったんですか」

シリウスは険しい表情で二人に問いかけた。

「大変だったのはそちらも一緒だろう？　それに君は若くして爵位を継いだから、こんなに大きな天災の対応に当たるのも初めてだっただろうし……すまない。負担をかけたくなかった」

ウィンティア伯爵の返答にシリウスはぐっと詰まった。若輩者という伯爵の指摘は事実だったからだ。

「すまないエステル。こんな形で婚約の解消をお願いするなんて、君には本当に申し訳ない……」

ウィンティア伯爵家の二人の沈痛な表情にエステルは悟った。自分の意見は関係なく、これは彼らにとってはもう決定事項なのだ、と。


ローザリア王国暦五三三年七月——。

多額の慰謝料と引き換えに、エステルは婚約者を失った。

三歳年上のライルは何度も互いの領地を行き来して遊んだ幼なじみだ。実の兄以上に可愛がってくれたライルの事がエステルは大好きだった。

(ライルとの結婚式をずっと夢見ていたのに)

どうにか堪えていた涙が決壊したのは、ウィンティア伯爵家の親子を見送ってからだ。

「エステル……」

「お兄様、私はお金に負けたのね」

長雨の被害は大きかったので、フローゼス伯爵家にもウィンティア伯爵家を支援するほどの余裕はない。

女としてポートリエ男爵令嬢に負けたのではない。エステルは心の中で呟いた。

そんなエステルに、シリウスは物言いたげな視線を向けてきた。

◆　◆　◆

「エステル様、お手紙が届いておりました。個人的には開封せずに破り捨ててもいいと思うんですが、一応お読みになりますか？」

侍女（レディースメイド）のリアが持ってきた封書の差出人を見て、エステルは眉をひそめた。そして、手紙を開封して、盛大に顔をしかめる。

「ねえリア、ポートリエ男爵令嬢は私の事を馬鹿にしているのかしら？」

封書の中に入っていたのは、ライルとディアナ・ポートリエの結婚式の招待状だった。

自分が強引に奪い取った男との結婚式に元婚約者を呼ぶなんて、普通の神経では考えられない。

しかも結婚式の日取りは来年の六月。ポートリエ男爵家の横やりさえ入らなければ、ライルとエステルが結婚式を挙げていたはずの時期だ。

エステルがライルと婚約したのは、エステルが女学校を卒業した二年前だ。婚約期間が長めになったのは、ライルの大学卒業を待っていたためである。こんな事になるとわかっていたら卒業なんて待たなかった。

「間違いなく馬鹿にされていますので怒っていいと思いますよ、エステル様」

吐き捨てるようなリアの発言に、少しだけ救われたような気がした。

「まさか出席されるんですか？」

「行かないわよ」

エステルはソファから立ち上がると、暖炉の前まで移動して招待状を火にくべた。

「腹立たしいわ。絶対ライル以上の人を捕まえて見返してやるんだから」

エステルは眉間に皺（しわ）を寄せた。

婚約破棄から四か月が経過し、そろそろ貴族の社交活動が活発になる時期だ。首都アルビオンにおける社交期（ザ・シーズン）は、十一月から翌年の五月頃まで続く。これは、議会の開催に合わせたもので、世襲貴族は皆、貴族院の議席を持っているため、この時期は国中の貴族が首都に集まるといっても過言ではなかった。

北の山間部に位置する領地では、例年十二月の初旬から雪が積もり始めるので、フローゼス伯爵家では毎年十一月の初めには首都に移動する事になっていた。

エステルは今、シリウスと共に首都に所有するタウンハウスに滞在している。といっても領地のカントリーハウスほどの規模はない。フローゼス伯爵家はそこまで裕福な家柄ではないので、小さな二階建ての一軒家をタウンハウスとしていた。高級住宅街の一角にあるとはいえ、大きな邸（やしき）を何軒も所有する大貴族や富豪に比べると地方領主の生活は質素である。

まず間違いなくエステルよりディアナの方がいい生活を送っている。ポートリエ男爵家が首都の中心街に所有する邸は華美な事で有名だ。社交界での影響力も一昔前ならいざ知らず、資本家が台頭する現代ではあちらの方が上である。そう思うと余計に腹が立ってきた。

見返してやる、なんて息巻いても、ライル以上の条件の男性を探すのは実は難しい。伯爵位以上の貴族の嫡男なんて好物件は大抵売り切れている。この国の継承法は、『覚醒者』を最優先とする男系長子相続になっていて、次男以降が異能に覚醒したり、長男の健康状態が思わしくないなど、特別な理由がない限り爵位も財産も長男の総取りと決まっている。だから自分で身を立てなければいけない次男以降は価値が下がってしまう。また、ライル以上の結婚相手を探すには積極的に社交界に出なければいけない訳で——社交が苦手なエステルは、考えるだけで憂鬱になった。

　自分の体に視線を落とし、マナを見ると薄暗く陰っていた。きっとライルを奪ったディアナへの怒りや今後の不安などがない混ぜになっているせいだ。エステルは肩に掛けたショールを胸の前でかき合わせると、ぱちぱちと爆ぜる暖炉の炎を見つめた。既に忌々しい招待状は灰に変わっている。だけど憂鬱な気持ちは晴れなかった。

◆
◆
◆

　淑女が着飾るのは大変だ。コルセットで体を締め付けられるのは苦しいし、お化粧のために肌の上をブラシが滑る感触はくすぐったい。しかし、苦行を終えたエステルが鏡を覗き込むと、いつもよりもずっと可愛くなった自分の姿が映っていた。

　エステル付きの侍女であるリアはセンスがいい。栗色の髪は綺麗に編み込まれ、ドレスの共布で作られたピンクの髪飾りで飾られている。耳や首元を飾る真珠のアクセサリーは母の形見で、清楚で上品に見えるように仕上がっていた。

　とびっきりの美人には勝てないけれど、着飾ればそれなりに見える容姿だと自分では思っている。

そしてエステル自身も、亡くなった自分の母から受け継いだこの顔立ちを気に入っていた。北の人間には遺伝的に紫の要素が入った瞳の持ち主が多いのだが、兄のシリウスにも共通する赤紫の瞳もまた、母から引き継いだものである。

「さあ、早く下に行きましょう。シリウス様がお待ちですよ」

リアに促され、エステルは二階にある自分の部屋を出た。

応接室に向かうと、既に正装したシリウスが待ちくたびれた表情で待機していた。今日の夜会で、シリウスはエステルのパートナーを務めてくれる事になっている。

エステルの両親は既にこの世にいない。二人を奪ったのは、六年前の夏、フローゼス伯爵領を襲った猩紅熱だ。その時、首都の女学校に通っていたエステルも、夏休みに帰省した事で感染して生死の境をさまよった。

家族の中で感染を免れたのはシリウスだけだ。当時アルビオン大学の学生だったシリウスは、課題が忙しく、一人首都に残っていたため難を逃れた。

くだんの猩紅熱はエステルの異能を目覚めさせ、『覚醒者』にしたのと同時に、容赦なく両親の命を奪っていった。そしてシリウスは大学を退学し、十九歳の若さで伯爵位を継ぐ事になった。

実はエステルは自身の異能について、家族であるシリウスにも秘密にしている。

父の弟である叔父のサポートがあったとはいえ、引き継ぎなしに爵位を継いだ兄は激務でどんどんやつれていき、とても打ち明けられる雰囲気ではなかったのだ。いや、それだけではない。感情が視える事を知られるのは怖かった。

　学校にも社交界にも、笑顔を浮かべながらどろどろとした感情を抱えている人間はそこかしこに溢れていた。エステルの瞳はそれを暴いてしまう。親友だと思っていた同級生の本音を見抜いてしまい、深く傷付いた事もあった。異能を兄に打ち明け、疎まれたらきっと死にたくなるくらい辛い。兄はこの世に残されたたった一人の家族なのだ。

　当時流行していた、とある令嬢が主人公の恋愛小説が、エステルの恐怖をより煽った。

　その小説の主人公は、心が読めるために家族に忌み嫌われ、屋根裏に閉じ込められて虐げられていた。能力を知っても嫌わなかった幼なじみに助けられ、最終的には結ばれるという王道のラブストーリーだったが、読心能力の持ち主が嫌われて怖がられるという部分は、エステルには他人事とは思えなかった。

　また、『覚醒者』となった事を公表すれば、ライルではない別の男に嫁がされる危険もあった。貴族の子供の価値は家柄だけでなく、マナの量や異能によって上下する。エステルのマナの量は伯爵令嬢としては標準的なものだが、『覚醒者』となった事でその価値は跳ね上がった。

　覚醒の確率も異能の種類も遺伝する可能性があるので、『覚醒者』は王族や高位の貴族にとって喉から手が出るほど欲しい存在だ。ライルが好きだったエステルは、大貴族の横やりが入るのは避けたかった。

　結局、異能とは関係なく、ディアナ・ポートリエが割って入ってきたせいでライルとは別れる羽目になってしまったのだが――。エステルはライルの整った顔を思い出し、慌てて頭を軽く振った。

『覚醒者』である事を公表すれば、新たな婚約者は恐らく簡単に見つかるだろう。エステルにシリウスを押し退ける意思はないが、家督を相続して女伯爵となる道も開ける。

しかし、マナが感じ取れ、更に感情の浮き沈みが視えるのを公表するのは、どうしても抵抗があった。じっくりと考えた結果、エステルは、これまでと変わらず異能を隠し続けるという結論に至ったのである。


「エステル、やっと出てきた」

「女性の身支度は時間がかかるものよ」

うんざりとした表情で待っていたシリウスに、エステルはつんと澄まして言い返した。

「……まあまあだな。社交が苦手なのは知ってるけど頑張れよ」

「お兄様こそ夜会は得意じゃないくせに。それに、頑張らなきゃいけないのはお兄様もでしょ」

エステルの切り返しにシリウスはぐっと黙り込む。

婚約者を見つけなければいけないのはシリウスも一緒だ。爵位を継承してから多忙を極めていた兄にはまだ決まった相手がいない。

シリウスの容姿は兄妹だけあってエステルに似ている。ライル程ではないにしても整っているし、領地が北の田舎にあるとはいえ伯爵家の当主だ。結婚相手としては悪くないはずなのだが……。

(第一王子殿下やロージェル侯爵がいらっしゃるからかしら)

より条件のいい未婚の貴公子がいるせいか、兄の婚約者探しは難航しているようだ。

（私なら、王子様よりお兄様を選ぶのに）

がさつで無神経なところはあるが、シリウスはエステルにとって大好きな兄だ。王室のように色々な人間の思惑が渦巻いて、面倒そうな場所に嫁ぐより、静かで穏やかなフローゼス領の方がいい。

エステルは、エスコートのために差し出された兄の腕に手を絡めると、そっと力を込めた。

◆◆◆

馬車の窓から見える首都アルビオンは賑やかだ。大通りには魔導石を動力とする街灯が設置され、オレンジの光が薄暗くなった街を照らしている。

フローゼス領はそろそろ雪が散らつく頃だ。本格的な積雪が始まるのは十二月に入ってからだが、一度積もり始めると、毎日の雪かきが必須になるくらいどこもかしこも白で埋め尽くされる。そうなると、馬車は使えなくなるから、領民は馬に橇を繋ぎ、家の中でじっと雪解けの季節を待つ。

一方で南部に位置する首都は、滅多に雪が積もらないので年中馬車が使えるし、人波が途切れる事もない。南北であまりに違う生活を思うと、故郷を覆い尽くす白魔が恨めしくなる。

今期の社交期ではエステルの新しい婚約者探しのために社交に力を入れると決めたから、領地の事は叔父に任せて兄妹は首都に出てきた。しかし、フローゼスの厳しい冬は領民の生活を脅かす事もあるので心配である。

（今年はあまり雪が降らなければいいんだけど……）

そんな事を考えながらぼんやりと外を眺めていると、真正面に座るシリウスが声をかけてきた。

「エステル、今日の舞踏会の主催はお嬢様方に大人気のロージェル侯爵だ。目に留まるといいな」

「競争率が高すぎるわよ」

ロージェル侯爵ことクラウス・ロージェルは、二十三歳にして侯爵位にある青年だ。銀髪にアイスブルーの瞳をした恐ろしく整った容貌の青年で、その見た目から氷の貴公子と呼ばれている。

そしてロージェル侯爵家は建国以来の名門で、前の王妃で第一王子の生母ミリアリアを出した家柄だ。ミリアリアはクラウスの叔母にあたる女性である。

そんな顔も家柄もいいクラウスだが、浮いた話が一切なく、まだ婚約者もいないため、女性の人気を従兄(いとこ)である第一王子と二分する存在となっていた。

父を早くに亡くし、爵位を継いだという点においてクラウスとシリウスには共通点がある。違うのは、クラウスにはまだ母親が健在という事だ。

「お兄様、この舞踏会に参加して本当にいいの？」

「どういう意味だ」

「だって、うちがロージェル侯爵の招待に応じるのは初めてじゃない。この舞踏会に出るという事は、その……」

「中立派じゃなくなる事を気にしてんのか？」

思っていた事を言い当てられ、エステルは身を震わせた。

現在、このローザリア王国は次の王太子の座を巡って三つの派閥に割れている。第一王子のアークレイン派と第二王子のリーディス派、そしてどちらにも与(くみ)しない中立派だ。

王位継承は、男系と『覚醒者』を優先する長子相続を原則としている。

王族には『覚醒者』が生まれやすく、アークレインもリーディスも幼少期に異能を開花させていた。現在公表されているローザリア王国全体の『覚醒者』の数は八名。うち五名は王族である。

第一王子のアークレインが『覚醒者』にもかかわらず貴族間の意見が割れているのは、リーディスの出自と異能の質がアークレインを上回っていたのが原因だった。

アークレインとリーディスは腹違いの兄弟だ。アークレインの生母、ミリアリア前王妃が亡くなった後、後妻として迎えられたトルテリーゼ王妃がリーディスの産みの母だった。

トルテリーゼ王妃は、三代前の国王の代に枝分かれした、王家の分家であるマールヴィック公爵家の出身である。

近親婚により王家の血を色濃く受け継いだリーディス王子は、『覚醒者』として一般的な念動力――手で触れずに物を動かす力――に加えて空間転移の異能に目覚めた。

対してアークレインが使えるのは念動力のみで、更にマナの保有量でリーディスに劣っていると言われている。

問題を更に複雑にしているのは、既にアークレインが公務において一定の成果を上げている点だ。

アークレインは二十三歳、首都最高峰の名門、アルビオン大学を優秀な成績で卒業しており、昨年の年末から半年ほど体調不良を訴えていた国王の名代(みょうだい)を見事に務め、その存在感を示した。

一方のリーディスはまだ十五歳の学生だ。

人当たりがよく、安定した治世が期待できるアークレインか、執務能力は不明だが、血統と異能に優れたリーディスか——法が示す次期王はアークレインだが、派閥の力はリーディスの方が優勢なため、国王はアークレインを正式な後継者として認定する立太子の儀式を行えないでいた。ローザリアではこの儀式を経て初めて王太子の称号を名乗る事が許されるので、今は次期国王の座は宙に浮いた状態である。

フローゼス伯爵家は、今まで中立の立場をとっていた。というか、中央から遠い北部の貴族は大抵同様の姿勢を示していた。

しかし今シーズンの社交で、シリウスはロージェル侯爵家の招待を受けると決めた。それは今後、フローゼス伯爵家は第一王子に付くという意思表示に繋がるものである。

「お兄様、ポートリエ男爵が第二王子派だからアークレイン殿下に付く事にしたのよね……？」

「あの腹の立つ成金と顔を合わせたくないからな」

「そんな事で旗色の悪い第一王子に付くなんて……」

「ウィンティアとポートリエはうちをないがしろにしたんだ。叔父上とも相談して決めた事だから、お前は何も気にしなくていい」

むっとした表情で言い返された。

「どうせそろそろ中立を保ち続けるのも限界になってたんだ。だからこれでいいんだよ。もしリーディス殿下が次の国王になったとしても、国からの当たりが多少強くなるだけだ」

「それが大問題なんじゃない……」

去年の長雨のような災害が起こった場合の減税の申請、魔導石の出荷価格、竜の間引きを行う際の補助金――国から睨まれたらこの辺りに影響が出る可能性がある。それもあってフローゼス伯爵家は、どちらに付くべきかを慎重に見極めるため中立を保ち続けていたのだ。

「そんな顔するな、エステル。お前の婚約破棄だけが派閥を決めた理由じゃないから」

「嘘つき」

「嘘じゃない。俺はアークレイン殿下の性格も考えてこっちに付く事にしたんだ」

「お兄様がアークレイン殿下の何を知ってるって言うのよ」

「少しは知ってるさ。お前は忘れてるかもしれないけど、お兄様は一応殿下と同じ学校に通ってたんだぞ」

ロイヤル・カレッジからアルビオン大学へ。それが貴族に生まれた男性の理想の進学ルートだ。どちらも男性のみが入学を許されるこの国最高峰の難関である。

家を継ぐため大学は途中で中退したものの、シリウスはこの進学ルートに乗っていた。

リーディス王子は現在ロイヤル・カレッジに在学中だ。ロイヤル・カレッジの生徒が全員アルビオン大学に進学できる訳ではないので、今後の彼の進路は注目されている。上手くアルビオン大学に進学できたとしても、異母兄よりも成績が劣っていたらとやかく言われるのだろう。王族に生まれた宿命とはいえ気の毒だ。エステルは心の中でリーディス王子に同情しながら、まじまじと兄の顔を見つめた。

「一応お兄様って優秀だったのね」

「二年産まれるのが遅かったら入学できなかったかもな。殿下と同じ学年は入学試験の倍率が凄かったから」

　そう言ってシリウスは苦笑する。

　王族の懐妊が発表されると貴族の間にはベビーラッシュが起こる。将来産まれてくる王子、ないし王女の取り巻きを目指すためだ。ライルもクラウス・ロージェルもアークレイン王子と同じ二十三歳である。

「在学中にお兄様はアークレイン殿下と仲が良かったの？」

「いや、学年が違うしクラブ活動も違ったから……飛竜の狩り方を聞かれて少し話した事はある」

「そんなの顔見知り以下じゃない」

「うるさいな。俺だってわかってるよ。でも殿下は穏やかで優しそうな方だったよ」

「大抵の王族は人前では穏やかで優しそうにするんじゃないの？」

　常にニコニコと微笑みながら優雅に民衆に向かって手を振る、それがエステルの抱く王族のイメージである。

「今日の舞踏会はアークレイン殿下も来られるかもな。運が良ければ踊れるかもしれないぞ」

　ロージェル侯爵家はアークレインの外戚であり派閥の重鎮だ。

「私、王子妃はさすがに狙ってないわよ？」

　異能の瞳を持つエステルに、そんな立場は刺激が強すぎる。ただでさえ社交界は色々な思惑が溢れていて神経がすり減る空間なのだ。エステルはふるふると首を横に振って否定した。

そんなふうに軽口を叩いているうちに、フローゼス伯爵家の馬車はロージェル侯爵家のタウンハウスに到着した。前王妃を輩出した大貴族だけあって、首都でもかなり大きな規模の邸（やしき）である。

「さて、行きますか。お手をどうぞ、お嬢様」

「お兄様のエスコートは久しぶりね」

エステルは悪戯（いたずら）っぽく微笑むと、シリウスの手を取り馬車から降りた。

◆◆◆

舞踏会の会場である舞踏室（ボールルーム）は、邸の外観に負けず劣らずきらびやかだった。さすがは大貴族の邸宅である。小さな一軒家をタウンハウスにしているフローゼス伯爵家とは規模が違う。

眩（まばゆ）いシャンデリアにアンティークの調度類。至る所に飾られている薔薇（ばら）の花は邸の温室（コンサバトリー）で育てられたものだろう。

ローザリア王国の国名は、古語で『薔薇の花園』を意味している。王家の紋章には白薔薇が描かれており、薔薇はローザリアでは国花として定められていた。そのためローザリアでは至る所に薔薇が植えられている。温室を駆使して様々な品種の薔薇を育て、年中花を絶やさないようにするのは富裕層にとって一種のステイタスである。

カーテンやテーブルクロス、壁紙——そして室内の細部の装飾に至るまで、何もかもが豪奢（ごうしゃ）で洗練されている。壁には有名画家の手による風景画がかかっているし、飾り棚に並べられているのは、遥か東方の大国、央帝国製の陶磁器だ。乳白色のなめらかな質感はこちらでは再現できないため、かの国の陶磁器は人気がありとても高価だ。

　エステルは初めて訪れるロージェル侯爵家の様子に気後れするのを感じ、シリウスの腕に添えた手に力を込めた。

　社交界はやっぱり苦手だ。すれ違う紳士も貴婦人も、顔は微笑んでいるのにマナはどんよりと曇っている人が多い。ライルを奪っていったディアナ・ポートリエへの怒りはあるが、あまり頑張れないかもしれない。エステルは既に心が萎れそうだった。

　ここは魔窟だ。嘘に虚構、妬み嫉み。誰もが仮面の下に本音を隠している。

　そんな中、背後からやけに明るいマナが近寄ってくるのが感じられた。

「エステル!?　エステルじゃない」

　名前を呼ばれて振り返ると、女学校時代に仲良くしていたキーラ・ヴェルニーの姿があった。

「キーラ！　久しぶりね」

「エステル、こちらのレディは？」

「エジュレナ女学院に通っていた時の同級生なの。キーラ、兄のシリウスよ」

　エステルはシリウスをキーラに紹介した。続いてキーラをシリウスに紹介する。

「お兄様、キーラ・ヴェルニー子爵夫人です」

「そうでしたか、エステルの兄のシリウス・フローゼスです」

「初めまして、フローゼス伯爵」

キーラはにっこりと微笑むと、シリウスに向かってカーテシーした。

「エステル、婚約の事、噂になってるから聞いたわ。あまり気を落とさないでね」

キーラは気遣わしげな表情でエステルの手を握った。

「気にしていないと言えば嘘になるけど気落ちはしていないわ。そのおかげでキーラと再会できたんだもの」

エステルはキーラに微笑み返すと、手を握り返した。

「キーラ、話し中にごめん、ちょっと来てもらってもいいかな？」

背後から一人の紳士が声をかけてきた。キーラの夫のヴェルニー子爵だ。

「ごめんなさい、戻らなきゃ。エステルを見つけて嬉しくなって放ったらかしにしちゃった。また後でゆっくりお話ししましょう」

そう告げると、声をかけてきた時と同じく慌ただしくキーラは去って行った。

「初めて会うお前の友達だな」

「彼女、卒業後すぐに結婚しちゃって……派閥も違うし手紙だけのやり取りになっていたの」

シリウスの疑問にエステルは肩をすくめながら答えた。

学生時代の人間関係は卒業すると変わってしまう。キーラはエステルにとって、派閥と生活環境の変化で疎遠になってしまった友人の一人だった。だけどこうして第一王子派に加わる事によって彼女との付き合いが再開するとしたら、それは喜ばしい事だ。

エステルはこちらに手を振ってくるキーラに手を振り返した。

その時である。右前方から小波（さざなみ）のようなざわめきが聞こえてきた。ざわめきの中心には、ものすごく目立つ三人組がいる。

「アークレイン殿下だ。やっぱり来られてたんだな」

シリウスの呟きを聞くまでもなく、エステルは三人組の素性を知っていた。直接言葉を交わした事はないが、王室主催の催しに参加した時に何度か遠くから見た事がある顔ぶれだったからだ。

三人組は、舞踏会の主催者であるクラウス・ロージェルにアークレイン王子、そして、最有力の王子妃候補と言われているオリヴィア・レインズワースだ。

クラウスが氷なら、アークレインは穏やかな春の日差しのような金髪碧眼（へきがん）の美形だ。最高級のサファイアのような鮮やかな青の瞳は、王族によく現れる色である。王家を象徴するこの色はロイヤルブルーと呼ばれ、禁色（きんじき）となっていた。ロイヤルブルーの服も宝石も、このローザリアにおいては王族のみが着用を許される特別な色である。

オリヴィア・レインズワースはアークレイン王子のパートナーを務めていた。彼女はアークレインの派閥をロージェル侯爵家と共に支えるレインズワース侯爵家の末娘だ。珊瑚（さんご）色の髪に青い瞳が儚（はかな）げな印象の美少女である。

（……オリヴィア嬢の片思いなのかしら）

エステルは二人の表情とマナを見て首を傾（かし）げた。

アークレインは穏やかな微笑みをオリヴィアに向けて談笑しているが、そのマナはどんよりと

曇っている。オリヴィアのマナがキラキラと輝いているのとは対照的だ。彼らの婚約は秒読みだと噂されているが、それはアークレインにとっては不本意なものなのかもしれない。

そんな事を考えながら見つめていると、アークレイン達の傍に控えていたクラウスと目が合った。

クラウスはこちらを見ながら何かをアークレインに耳打ちする。そして、オリヴィアと別れ、二人連れ立ってこちらに向かってくる。金と銀と、質の違う美形が並んでいる姿は迫力があった。

「フローゼス伯爵、今宵は当家の舞踏会にお越しいただきありがとうございます」

クラウスは、エステル達の目の前で立ち止まると声をかけてきた。

「こちらこそ、本日はお招き頂いてありがとうございます」

緊張した表情で答えたシリウスに対して、クラウスは冷たい笑みを向けてきた。

「薔薇が散る前にお越し頂けてよかった」

『薔薇が散る前に』とは、この国特有の言い回しで、『手遅れになる前に』を意味する言葉である。クラウスの表情にもマナにもこちらに対する棘が見える。

「そのように仰って頂けて嬉しいです。当家が薔薇の栄光の一助になれればよろしいのですが」

シリウスはわずかに目を見開いたものの、すぐに余所行きの笑顔を作って切り返した。ふてぶてしさすら感じる態度に、エステルはがさつな兄の意外な面を見たような気がした。

不快に思ったのか、クラウスのマナが陰った。その一方でアークレインのマナは輝きを増す。どうやら王子様の興味を引く事には成功したらしい。

「シリウス殿、こうして言葉を交わすのは随分久しぶりですね」

「ローザリアの若き太陽、アークレイン殿下。声をおかけ頂き恐縮です」

アークレインに声をかけられ、シリウスは最上礼をとった。それに合わせてエステルもカーテシーする。

社交界では、上位の者から話しかけられない限り、こちらから話しかけてはいけないという暗黙の了解がある。アークレインから言葉をかけられたという事は、この場にいる許可を王子自らが出したに等しかった。こちらに降り注ぐ周囲の人々のマナの気配が少しだけ和らぎ、息苦しさが少しましになる。

「そちらのご令嬢は妹君ですか？」

「はい。私の妹のエステルと申します」

「ローザリアの若き太陽、アークレイン殿下にご挨拶申し上げます。エステル・フローゼスと申します」

エステルが正式に挨拶すると、周囲の何人かのマナが淀(よど)むのを肌で感じた。主に若い女性からのものだ。新参者が王子様と言葉を交わしたのが気に食わないのだろう。

「エステル嬢とこうして言葉を交わすのは、デビュタントの時以来かな」

ある程度以上の家柄の貴族の娘は、成人年齢である十八歳を迎えると、宮殿で開催される舞踏会で国王をはじめとする王族に拝謁し社交界にデビューするから、アークレインの声のかけ方は極めて無難なものだった。

「覚えていらっしゃるのですか？　光栄です」

エステルは嬉しくてたまらないという顔を作る。当たり障りなくやり過ごすために。

「エステル嬢、生憎ファーストダンスの予定は埋まっているんですが、その次のダンスを踊る栄誉を私に与えて頂けますか？」

（嫌だ）

反射的に思いはするが、王族の申し込みを断る事はできない。

「お誘いありがとうございます、殿下。ぜひお願い致します」

エステルは喜びの表情を崩さないよう注意しながらアークレインに応じた。


――あら、あの方は成金のポートリエ男爵令嬢に婚約者を奪われたって噂の……。

――あそこの家は日和見されていたのではなかったかしら？

――ポートリエは第二王子派ですものね、それでこちらに来られたのでは？

――私はディアナ嬢が婚約者を奪ったのではなくて、元々恋仲だったところにフローゼス伯爵令嬢が割り込んだと聞きましたけど……。

――そうなの？　どちらの噂が正しいのかしら？


そんなひそひそ声が聞こえてくる。

社交界での貴婦人は、ギリギリこちらに聞こえるかどうかという声量で陰口をさえずるのがとても上手い。下手に指摘をすれば「聞き耳を立てるなんてはしたない」と非難されるのはこちらになるから性質(たち)が悪い。

それにしても、噂には尾ひれ背びれが付くものだとは言うが、こちらが悪者になるような噂まで流れているなんて——。

「エステルは何も悪くないのに……」

「非があろうがなかろうが、スキャンダルは汚点になるって事ね」

悔しそうなシリウスにエステルは苦笑いを浮かべた。

婚約破棄のせいで伯爵令嬢としてのエステルの価値は下がってしまった。なんとなくわかってはいたが、改めて社交界での評価を聞くと腹が立ってくる。

評判を下げたのは向こうも同じでも、受けたダメージはきっとこちらの方が大きい。

「ムカつくなぁ。暴れて舞踏会を台無しにしてやろうか」

「やめてよ。家を潰すつもり？」

エステルは幸せだ。一緒に共感して怒ってくれる兄がいるのだから。

「お前の嫁ぎ先はお兄様がちゃんと見つけてやるからな」

「期待していますわ、お兄様」

「……いい男がいなければ、ずっとフローゼスにいればいい」

「探す前から諦めるような事言わないでよ」

むっと唇を尖(とが)らせてシリウスを見上げると、楽団が音楽を奏で始めた。舞踏会の始まりを告げる一曲目は最も身分の高い四組で踊られるカドリールだ。

招待客の中で最も身分の高いアークレインとオリヴィアが舞踏室の中心に出てきて踊り始めると、続いてクラウスとその母である前侯爵夫人が、そしてもう二組、第一王子派の重鎮と呼ばれる貴族が進み出て踊り始める。

これが終わったら次は自分がアークレインと踊るのだ。初めて第一王子派の夜会に来たフローゼス伯爵家への気遣いなのかもしれないが、緊張でお腹が痛くなってきた。

「お前、殿下の足、踏まないようにしろよ」

(他人事だと思って)

エステルはシリウスの顔を睨みつけた。

◆　◆　◆

一曲目のカドリールが終わると、アークレインは真っ直ぐにエステルの所へとやってきた。

「約束通りお迎えに参りました。踊って頂けますか、エステル嬢」

「喜んで」

エステルは嬉しくて仕方ないという表情でアークレインの手を取った。

エステルの身長は貴族女性としては平均的なのだが、アークレインは長身だ。ホールドの姿勢を取ると、エステルの目線の位置にはアークレインの胸元があった。

ライルもこれくらいの身長差だった。ふと元婚約者を思い出して、胸に苦い感情が湧き上がる。

そんなエステルの感情をよそに、ゆったりとした優雅な曲が流れ始めた。招待状に書かれていたプログラムによると、二曲目はスローワルツだ。

エステルはアークレインのリードに従ってステップを踏む。エステルのダンスの技量は平均点だ。上手くはないが下手というほど酷くもない。しかしアークレインのリードは的確で、身長差があるにもかかわらず自分の技量以上に体が動く事にエステルは驚いた。

社交が好きではないエステルは、舞踏会に参加しても最低限しか踊らない。だから比較対象として知っているのはライルとシリウスくらいだが、ライルの腕前は、エステルと同じく可もなく不可もなくというレベルでシリウスは乱暴だった。

ライルとのダンスは教科書通りのダンスだ。一方で身体能力の高いシリウスは、真面目に踊れば上手い。よその女性とは丁寧に踊るくせに、エステルが相手だとわざと意地悪をしてくる。その二人のダンスと比べると、アークレインとのダンスは踊りやすく、ダンス前の苦い感情が少しずつ溶解していった。

「お上手ですね」

「殿下のリードが素晴らしいからです」

アークレインの誉め言葉にエステルは微笑んで返した。

アークレインは誰もが認める正統派の王子様だ。顔立ちが端正なだけでなく、長身で細身に見えてもしっかりと筋肉が付いていて、夜会用のきらびやかなフロックコートがよく似合っている。

もしエステルに異能がなければもっとダンスを楽しめたはずだ。踊り始めてから、周囲の若い女性から感じられるマナが昏くて怖い。

マナが陰っているのはアークレインもだ。うっすらと曇っている程度なのと、オリヴィアとのカドリールの時からマナの状態が変わらないところを見ると、エステルが気に食わないのではなく、ダンスが好きではないのだと思いたい。

「……!?」

何度かステップを踏み、ターンした時だった。周囲の女性達の悪感情など比にならないほどの猛烈な悪意を感知し、エステルはびくりと身をすくませた。

アークレインの背後、招待客に紛れて、酷く昏いマナを示す給仕の男がいる。男はじっとアークレインを凝視していた。

——怖い。

本能的な恐怖を覚えたエステルは、さりげなく男から距離を取るようにステップを踏み、アークレインを誘導した。

(なんなの、あの人)

エステルはこっそりと男を観察し、トレイで隠すように銃を構えている事を発見してぎょっと目を見開いた。

銃口はアークレインに向いている。

考えるよりも先に体が動いた。エステルはアークレインの体を思い切り突き飛ばした。

次の瞬間——。

ダァン！　という大きな音が聞こえ、エステルの左の上腕部に激痛が走った。

（いっ……）

痛い。熱い。それしか考えられない。

悲鳴と怒号が飛び交う中、意識が少しずつ遠のいていく。

「エステル嬢！」

ぐらりと倒れたエステルをアークレインの腕が抱きとめた。香水の匂いだろうか、爽やかなベルガモットのような香りが鼻腔をくすぐった。

そして、霞む視界の中、青ざめた表情のシリウスが駆け寄って来るのが見えて――。

それを最後に、エステルの意識は闇の中へと呑み込まれた。

◆◆◆

……あつい。

意識を取り戻したエステルは、体全体が熱を持っている事に首を傾げた。

（風邪でも引いたのかしら）

視界に入ってきたのは見覚えのない場所だ。

天蓋の付いた立派なベッドの中心にエステルは寝かされていた。室内は薄暗かったが、間接照明による穏やかなオレンジ色の光がついていたので、全くの暗闇という訳ではなかった。

ベッドの天蓋に取り付けられたカーテンの向こう側には、ウォルナットと思われるダークブラウンの応接セットが置かれているのが見える。壁にはのどかな農村を描いた風景画や央製（ヤン）の陶器が飾られ、上品で落ち着く雰囲気にまとめられていた。

（ここ、どこ……？）

体を起こそうとした途端、左の上腕部に激痛が走り、エステルはその場で悶絶（もんぜつ）した。そして直前の記憶が蘇（よみがえ）ってくる。

そうだ。自分は撃たれたのだ。ロージェル侯爵家での舞踏会で、アークレイン王子とダンスを踊っている最中に。

エステルは今更ながらに恐ろしくなって身を震わせた。

体が酷く怠（だる）くて熱い。怪我（けが）をすると発熱すると聞くけれど、本当なのだと実感する。

自分の体を確認すると、負傷した左腕には包帯が巻かれていた。夜会用のドレスはガウンに替わっている。脱ぎ着しやすそうな前開きのガウンは肌触りがとてもいい。この光沢は絹だろうか。袖や襟には細かな装飾が施されていて、明らかに一級品とわかるものだ。

熱が出ているせいか、汗をじっとりとかいていて気持ち悪い。喉も渇いている。

周囲を見回すと、ベッドサイドに小さなテーブルがあり、水差しと使用人を呼ぶためのベルが置かれていた。エステルは傷口に障らないよう慎重に体を起こすと、水差しに手を伸ばす。しかし途端に目眩（めまい）を覚え、その場に崩れ落ちた。

テーブルの上のものをなぎ倒したようで、けたたましい音が辺りに響き渡る。

「お嬢様、大丈夫ですか⁉」

音を聞きつけたのだろう。女中(メイド)らしき女性が、慌ただしく室内に飛び込んできた。

「ごめんなさい、色々とひっくり返してしまったわ」

「お気になさらないで下さい。それよりもお目覚めになって良かったです。丸一日意識を失われていましたので」

「嘘……」

エステルは女中の助けを借りてベッドに戻してもらう。そして思い切って尋ねてみた。

「あの、ここはどこですか……？」

「ロージェル侯爵家のタウンハウスですよ。お嬢様は昨夜、ここで開かれていた舞踏会で、アークレイン殿下を庇(かば)って銃で撃たれたんです。覚えていらっしゃいませんか？」

「撃たれたのは覚えています」

「声が嗄(か)れていらっしゃいますね。片付けより先にお水をお持ちしますね」

女中はエステルに微笑むと、部屋を出て行った。


ややあって女中は新しい水差しを持って戻ってきた。トレイの上には、横になったまま水が飲めるようにという配慮だろう。白磁の吸い飲みも載っている。

「まずはお水をどうぞ」

女中はそう言うと、白磁の吸い飲みをエステルの口元にあてがった。

吸い飲みの中に入っていた水は、ほのかな酸味と甘みがついていた。レモンと蜂蜜が入っているようだ。

エステルが人心地ついたのを確認すると、女中は床の掃除を始めた。

「あの、ありがとうございます……撃たれた私をそのままこのお邸で治療してくださったんですよね……？」

おずおずと尋ねると、女中は人好きのする笑みを浮かべた。

「ええ。動かさない方が良いというお医者様の判断で。フローゼス伯爵もこちらに滞在されていますよ」

「お兄様が……」

シリウスにとってのエステルは、エステルにとってもそうであるように、この世にたった一人の家族だ。信頼できる親族は叔父夫婦もいるが、兄は重みが違う。さぞかし心配をかけてしまったに違いない。

「今日はもう遅いので、明日お知らせいたしますね」

そういえば今は何時なのだろう。間接照明の明かりを頼りに壁に掛けられた時計を確認すると、一時を指していた。女中の言葉から推測すると、夜中の一時という事になりそうだ。

「片付けが終わりましたので私はこれで失礼致しますね。まだお熱が高いのでゆっくりお休み下さい」

女中が去って一人になると、途端に眠気が襲ってきた。熱に浮かされた体はまだ休息を必要としている。エステルはそのまま睡魔に身を委ねた。

◆　◆　◆

マナは魔導具の動力になるだけでなく自然治癒力にも関わっている。マナの保有量が多い貴族は、たとえ異能に覚醒していなくても、平民に比べると頑丈で、病気や怪我をしても治りが早い傾向にあった。

エステルもまた例外ではなく、翌朝には起き上がれるくらいに回復していた。

左腕は動かせないしまだ微熱があるが、食欲も出てきている。消化の良い食事を出してもらい、包帯を替えてもらうついでに体を拭いてもらうと随分とさっぱりした。

(また傷が増えちゃった)

ライルとの婚約が白紙に戻った事による傷だけでも痛いのに、今度は物理的な消えない傷だ。

かいがいしく世話をしてくれる女中を尻目に、エステルはそっと包帯に覆われた上腕部に触れた。

朝一番に侯爵家の主治医が来てくれて、エステルに傷の状態を説明してくれた。

銃弾は幸い左の上腕部の肉を抉(えぐ)っただけだったため、治るまでにさほど時間はかからないだろうという診察結果だった。しかし、恐らく傷痕が残ると宣告された。これは使用された銃が魔導銃だったせいだ。

魔導銃は一定以上のマナを持つ者にだけ扱える銃だ。引き金を引く度に使用者のマナを吸収し、エネルギーに変換して射出するという仕組みになっている。この銃による傷は厄介で、他者のマナが傷口に干渉するため、たとえ貴族の治癒力をもってしても綺麗には治らないと言われている。

つまり、今後は肩や腕がむき出しになったドレスは着られなくなるという事で——未婚の令嬢としての価値がまた下がったという事でもあった。

王族を守れたのは一貴族としては喜ばしいけれど……自分の将来を考えたら逃げるべきだった。

「あの、お嬢様、申し上げにくいのですが……」

おずおずと女中が声をかけてきた。

「何？」

「アークレイン殿下と旦那様がお嬢様とお話しをしたいと……お通ししてもよろしいでしょうか？」

傷のため丸二日入浴できておらず、服装はナイトウェアの上にガウンを引っ掛けただけという姿だ。こんな姿で男性に会うのは酷く抵抗がある。しかし、王族の要望は断れない。

「わかりました。お会いします」

エステルは頷くしかなかった。

早速部屋にやってきたアークレインとクラウスは、眩しいくらいにきらきらしていて、エステルはぼろぼろの自分が恥ずかしくなった。

金髪の王子様に銀髪の侯爵様。対するエステルの髪は平凡な茶色で、婚約破棄という傷に加え、銃による消えない傷も体についてしまっている。輝かしい貴公子達に比べると自分はみすぼらしくて惨めだ。

エステルは俯くと、羽織らせてもらったショールの前を無事な右手でかき合わせた。少しでも体を隠したかった。

アークレインはベッド脇に設置された椅子に腰掛けると、エステルに向かってにこやかに微笑みかけてきた。クラウスはその後ろに控えている。

「エステル嬢、まずはお礼を伝えたい。ありがとう。君が身を挺して庇ってくれたおかげで命拾いをした」

「……考えるよりも先に体が動きました。殿下にお怪我がなくて何よりです」

「体の具合はどうかな？　熱は下がったと聞いたけど」

「まだ微熱がありますが、昨日に比べると良くなりました」

「傷痕が残ると聞いた。未婚の令嬢に本当に申し訳ない。私としてもできる限りの事はさせてもらいたいと思っている。例えば新しい婚約者を紹介するとかね」

アークレインの言葉にエステルは弾かれたように顔を上げた。

「君に起こった不幸は知っているよ、エステル嬢。ウィンティア伯爵家との婚約がポートリエ商会のせいで破談になったんだよね。ポートリエ商会は第二王子派だ。向こうとなるべく顔を合わせないためにこちら側に近付いたってとこかな？」

「……殿下の仰る通りです。もしフローゼス伯爵家に有益になるような男性をご紹介頂けるのであればとても嬉しいです」

エステルが認めると、アークレインは鷹揚に微笑んだ。

「いいよ。君にぴったりの男性を紹介してあげる。……でもその話をする前にね、少し君に確認したい事があるんだ」

その言葉と共に、アークレインのマナが一気に陰った。

(何……?)

マナが陰っているのはアークレインだけではない。クラウスもだ。

エステルは疑問と共に恐怖を覚えた。アークレインの顔は微笑んでいるのに、まるで獰猛な獣に獲物として見定められたような錯覚を覚える。

「狙撃犯が銃を撃つ前の君の動きについてなんだけど……踊りながら不審な動き方をしたよね？　私をどこかに誘導するように。それはどうして？」

エステルは青ざめた。

どうしよう。答えられない。異能の事は知られたくない。どう説明すればいいのだろう。

「答えられないのはやましいところがあるからじゃないのか？　エステル・フローゼス」

クラウスが割り込んできた。

「お前とフローゼス伯爵は今回初めて当家の夜会に顔を出した新参者だ。殿下の覚えをめでたくし、取り入るためにあの男をここに潜り込ませたのではないか？」

「は？」

クラウスの言葉を頭で嚙(か)み砕き、理解するまで時間が必要だった。

「狙撃は兄と私の自作自演――侯爵閣下はそう仰っているんですか？」

「シンプルにお前達が暗殺計画の首謀者である可能性も含めて調査中だ。ちょうどフローゼス伯爵にも邸に留まってもらっているからな」

「どういう事ですか⁉　兄に何かしたんですか！」

クラウスの高圧的な物言いに恐怖が湧き上がる。

「クラウス、そういう態度は良くないよ。エステル嬢はまだ容疑者の段階なんだから」

アークレインが取り成すように間に入ってきた。しかし一見すると優雅な笑みを浮かべているが、目は笑っていないしマナも陰っている。

「フローゼス伯爵には今のところは何もしていないよ。客室で過ごしてもらっている。この二日間、様子を観察させてもらったけど、君を心配して酷く憔悴(しょうすい)しているように見えるね」

エステルはごくりと固唾を呑んだ。

「……兄に会わせて下さい」

「それはできない。口裏を合わせられたら困るからね。君の大切なお兄様を尋問するもしないも、まずは君の返答を見てから決めようと思っていてね」

「兄はそのような大それた事を考える人間ではありません。ちゃんと調べて頂いたらわかるはずです！」

「狙撃犯は自殺した。今のところ背後関係は何もわかっていない」

冷淡な表情で告げたのはクラウスだった。一方、アークレインはあくまでも穏やかだ。

「何か知っている事があるのなら話してもらえないかな？　君の大切なお兄様のためにも」

態度だけ見れば飴と鞭だ。高圧的な態度で責めるのがクラウスなら、アークレインは諭すように優しく語りかけてくる。しかし、マナが感じ取れるエステルにとっては、二人がかりで恫喝されているのに等しかった。

「……ダンスの途中にあの人が見えたんです。殿下を狙っているのがわかったので、少しでも距離を取ろうと思いました」

「あの人ごみの中、あれだけの距離があって狙撃犯に気付いただと？　嘘をつくにしても随分と陳腐だな」

クラウスから絶対零度の視線が投げ付けられた。氷の侯爵の異名にふさわしい冷徹な目だ。

「クラウス、エステル嬢が怯えてるよ」

微笑をたたえながらマナを陰らせるアークレインも、エステルにとっては恐怖の対象だ。

「私はあまり気の長い方じゃないんだ。優しく聞いているうちに教えてもらえないかな？」

アークレインの顔からすっと笑みが消えた。怒りをたたえる青い瞳がエステルを射抜く。そしてマナの禍々しさが増した。

怖い。王族で『覚醒者』でもあるアークレインのマナは誰よりも密度が高く、全身を覆い尽くすほどに大きい。その濃密なマナが強い怒りのせいで昏く陰っている。

「う、嘘じゃありません。私は『覚醒者』で……マナが視えるんです。それで、酷い悪意を含んだマナが視えて……」

「だから嘘をつくならもっとマシな嘘をつけと言っただろう！」

クラウスが声を荒らげた。

「嘘じゃないです！　私本当にマナが視えるんです！　今部屋の外に二人、天井にも一人どなたかいらっしゃいますよね？　私の監視だと思うんですが」

震えながらエステルは言い募った。途端にクラウスのマナが殺気を帯び、エステルは身をすくませた。

「天井、ねえ……天井のどの辺りにマナを感じるのかな？」

アークレインの質問に、エステルは震えながら天井を指さした。

「このベッドからそこのシャンデリアの間辺りです……」

「へえ……」

「……殿下」

アークレインはクラウスと目を見合わせた。

クラウスの敵意はそのままだが、アークレインのマナの陰りはすうっと収まる。

「エステル嬢に異能があるというのは本当かもしれないね。確かに外に二名、天井にも一名、私の護衛が控えている」

「殿下、一体何を言い出すんです！」

「クラウス、エステル嬢は天井の隠し部屋の位置を正確に言い当てたんだ。『覚醒者』と考えてもエステルは何やら嫌な予感を覚え、ごくりと唾を飲み込んだ。

こちらに向き直ったアークレインのマナは、好奇心からかキラキラと輝いていた。

「エステル嬢、君の異能について、もっと詳しく教えてもらえないかな？」

「それは……そうかもしれませんが……」

いいんじゃないかな」


エステルが寝かされていた部屋は、ロージェル侯爵家の客室で、天井に隠し部屋が設けられていた。これは、要人を泊めた時の警護のために作られたものらしい。

自分の異能について促されるままアークレインとクラウスに伝えたエステルは、この部屋を使って異能のテストをする事になった。直接目視できない場合、感知範囲は五メートル程度に狭まるのだが、テストをする上で問題はなかった。

「……これは信じざるを得ませんね。エステル嬢は確かに『覚醒者』のようです」

「しかもなかなか面白い能力だ。効果範囲は限定的だけど、壁などの障害物を関係なしに人がいるかどうかを感知できて、更におおまかな感情も視られるなんてね」

隠し部屋に人を入れ、その人数を当てるテストを何回か繰り返した結果、アークレインとクラウスもエステルの異能を認めたようだ。

しかしアークレイン達が長々と居座るせいで疲れたのか、だんだん頭が痛くなってきた。熱も上がってきたような気がする。

「ああ、ごめんね、君は怪我人だった。横になる？」

頭を押さえると、ようやくアークレインはエステルの体調に気付いたようだ。その言葉に甘えて横になろうとすると、アークレインはエステルの背中に手を添えて、横になるのを助けてくれた。

「私にかかった疑いは晴れましたでしょうか」

エステルの質問に、アークレインはクラウスの顔をじっと見た。クラウスは仕方なさそうに息をついた。

「……そうですね。一応は」

クラウスの態度が軟化したので、エステルはこっそりと氷の侯爵様の様子を窺（うかが）った。

マナの色も落ち着いている。完全に陰りがなくなった訳ではないけれど、敵意がむき出しだった時と比べると大きな変化だ。

「ごめんね、エステル嬢。私も微妙な立場でね。常に暗殺の危険と隣り合わせだからクラウスも神経質になっているんだ」

「アークレイン殿下は第二王子派から命を狙われています。エステル嬢には失礼な事をした自覚はありますが、ご理解頂けると幸いです」

「侯爵閣下、頭を上げてください。疑いが晴れたのならそれでいいですから」

「……正直、完全にあなたとシリウス殿を信じた訳ではありません。暗殺者とは無関係だと確信できるまでは調査と監視が必要だと思っています」

「殿下のお立場は理解しております。私達にやましいところはありませんので、どうぞ存分にお調べください」

　真っ直ぐにクラウスの目を見て言い返すと、アークレインのマナが一段階明るくなるのが視界の端に視えた。視線を移動させると、彼はロイヤルブルーの瞳でじっとエステルを見つめていた。

「エステル嬢はどうして『覚醒者』である事を公表していないのかな？　明かせばすぐに次の婚約者が見つかったんじゃないかと思うんだけど」

「はっきりとわかる訳ではないとは言え、人の感情が視える事を誰かに知られるのが怖くて……自分が嫌がられたり怖がられたりするんじゃないかと思いました」

「エステル嬢の恐れは理解できる気がしますね。正直、私はエステル嬢に感情の方向が知られていると思うと不快です」

　クラウスの言葉がぐさりと胸に突き刺さった。

「お願いします、殿下、侯爵閣下、この力の事は誰にも話さないで下さい。兄にも言えていない力なんです。もし兄に知られて嫌われたら私……」

「………」

　アークレインはわずかに目を見開くと、思案するように顎に手を当てた。沈黙が気まずい。エステルは右手を胸元に当て、ぎゅっと手を握りこんだ。

「『覚醒者』で伯爵家の出身、しかも中央政界からは一定の距離を置き続けてきた家柄、か」

　ややあってアークレインが口を開いた。

「領地は北の山間部で土地は痩せているものの、魔導石の鉱脈を持っていてそれなりに旨(うま)みもある」

フローゼス領の事を言われているような気がするが確証は持てない。

考えがまとまったのか、アークレインは顎に当てた手を下ろした。そしてエステルに向き直る。

「エステル嬢、私と婚約しようか」

「は？」

「殿下!?　突然何を言い出されるのですか！」

アークレインの唐突な爆弾発言に、エステルもクラウスもぎょっと目を剝いた。

「エステル嬢の疑いは完全に晴れたとは言えませんよね？」

「限りなく白に近いと私は思ってるけどね。クラウスも本当はそう思ってるよね？」

アークレインの指摘にクラウスはぐっと詰まった。

「だからと言って初対面に近い女性を婚約者にするなど……こういう事はもっと慎重に……」

「エステル嬢はどう思う？　新しい婚約者を紹介してほしいと言っていたよね？　私はどうかな？かなりいい物件だと思うんだけど」

アークレインはクラウスを制し、直接エステルに尋ねてきた。エステルはぽかんと目と口を開けてアークレインを凝視する。

「えっと……急なお話すぎて……」

「何が不満？　自分で言うのもなんだけど、この国に適齢期で私以上の身分を持つ男はいないよ？」

それはそうだ。リーディス王子がまだ十五歳の今、結婚適齢期の男性で一番身分が高いのはアークレインだ。地位、身分、財産、容姿、どれを取ってもこの国で一番の男性である。

「私と婚約すれば、ライル・ウィンティアとディアナ・ポートリエを見返せるよ。あんなに噂になって君は悔しくないの？」

まるで悪魔の囁きだ。ライルにそれほど恨みはないが、ディアナ・ポートリエにはエステルも思うところがある。

だけど――。

「お、王子妃という立場は、私には畏れ多い、です……」

そう簡単には頷けない。

現在、アークレインは第一王位継承者ではあるものの、世論が割れている影響で将来国王になれるかどうかが確定していない。

仮にアークレインが王になった場合、その配偶者には王妃という重い王冠がのしかかってくる。かといって政争に敗れた場合はもっと悪い。公爵位と王家直轄領のどこかを貰って王兄として悠々と過ごせればいいが、場合によっては罪に問われる危険性がある。

「エステル嬢は奥ゆかしいね。何が問題？　この顔は好みじゃない？」

そう言いながらアークレインは、横になったエステルに覆い被さり顔を寄せてきた。至近距離に近付いてきた秀麗な顔に、心臓が高鳴った。

「で、殿下はとても整ったお顔をされていると思いますが、下手したら幽閉とか処刑とかされちゃうかもしれない立場はちょっと……」

「リーディスに負けた時の事を考えてるのかな？　私も命は惜しいからね、なるべく穏便な未来になるよう努力はしているところだよ」

「それって確定ではないですよね？　なら結構です。私も命は惜しいので」

「随分と嫌がってくれるね。でも知ってるかな？　王族である私が望めば君に拒否権は無いんだよ」

逃げ腰になるエステルの退路がアークレインの腕に防がれた。ベッドに横になっているので、上から押さえ込まれるような体勢になる。

「お待ち下さい！　殿下にはレインズワース侯爵令嬢がいらっしゃるのでは!?」

「そうだね、君という存在が登場しなければ彼女と婚約していたかもね。だけど、生憎私は彼女があまり好きではないんだ」

「そうなんですか？」

エステルは驚くと同時にオリヴィアが可哀想になった。アークレインの傍にいる時の彼女のマナの輝きと表情は、全力で王子様に恋をしているように見えたからだ。

「彼女はどうも私の妃（きさき）になって当然と思っているような部分があってね。その傲慢さが不安なんだ」

「私にだって傲慢で我儘（わまま）な部分はあります」

「そうかもしれないね。私はエステル嬢の事をよく知らない。傍に置けばオリヴィア嬢のように嫌な部分が目に付いて疎ましく思うようになるかもしれない」

「そう思われるなら取り消してください！　私には殿下のお相手はとても務まりません」

「それはできない。だって君には他の誰にもない利用価値があるから」

そう言ったアークレインの表情には、酷薄な笑みが浮かんでいた。

ほんの少し前までの春の日差しのような王子様の面影はそこにはない。穏やかで優しげな表情は仮面で、恐らくこちら側が本性に違いない。

「利用価値って、なんですか……？」

「エステル嬢はあまり頭の回転が速くないようですね」

震えながら尋ねたエステルに答えたのは、それまで静観していたクラウスだった。棘のある言い方にエステルはむっとする。

「アークレイン殿下は第二王子派の中でも過激な者達による暗殺の危険に晒されています。しかしあなたの異能があれば、ある程度未然に防げるとは思いませんか？」

「私は王位に執着はないいんだけどね。公言もしているんだけど、過激派は信じてくれないんだよね。そして私も寿命以外で死ぬのはさすがに嫌なんだ」

アークレインはうんざりとした表情でため息をついた。

「防犯用の鳴子代わりに私を使うおつもりですか」

「その通りだ。エステル嬢の異能は王家としては是非取り込みたい能力だね」

「この能力が子供に引き継がれるとは限りませんよ？」

「そんな事はわかってるよ。でも頑張って仲良くしておけば、隔世遺伝で芽吹く可能性はあるよね？」

「なっ！」

夜の生活を示唆されて、エステルの頭に血が上った。

「エステル嬢、お気の毒ですが殿下に目を付けられた以上は諦めたほうがいいです」

哀れみを含んだクラウスの視線に、エステルは呆然(ぼうぜん)とした。

二章　求婚の余波

舞踏会での襲撃事件から一週間が経過したが、エステルの姿はいまだにロージェル侯爵家の邸（やしき）にあった。

左腕の傷口はほぼ塞がった。しかし、残念ながら医師の見立て通り、傷痕が残りそうな治り方をしている。銃弾で肉をごっそりと抉（えぐ）られたため、傷が塞がってもぼこぼこと醜い盛り上がり方をしていた。

怪我が治った今もエステルがロージェル侯爵家に滞在しているのは、アークレインからの求婚が原因である。

『覚醒者』である事を明かし、アークレインから婚約を迫られた後——。

エステルが意識を取り戻したと聞いて、様子を見にきたシリウスに、アークレインはエステルとの婚約を正式に申し入れた。

この国は男性優位社会である。女は大学には入れないし、爵位や財産も国からの特別な許可がなければ継承できない。結婚にしても同じで決定権を握っているのは家長である。

フローゼス伯爵家の家長たるシリウスは簡単にアークレインの求婚を受け入れた。異能の秘密を盾に取られたエステルが、アークレインに見初められて喜ぶ演技をしたせいもあるが、彼が婚約の許可を取るために捏造した、もっともらしい口上をあっさりと信じてしまったのだ。

エステルはその時の事を思い出し、頭痛を覚えてこめかみを押さえた。

アークレインは口が上手い上に腹黒だ。シリウスの中でのアークレインは、エステルに一目惚れしたロマンチストの王子様という事になっている。


――身を挺して暗殺者の凶弾から庇ってくれたエステル嬢は聖女だ。

――その後の謙虚な姿勢にも心うたれた。こんなに可憐で心根の美しい女性は他にいない。

――エステル嬢の体には私のせいで消えない傷痕が残ってしまった。でもその事を喜んでいる自分がいるんだ。責任を取るという名目で自分のものにできるのではと考えてしまう。シリウス殿、そんな醜い私を許してほしい。

――エステル嬢は私の運命だ。ウィンティア伯爵家との婚約が破談になったのも私と出会うためだったに違いない。


真剣な表情で言葉を紡ぐアークレインは、エステルには熟練の詐欺師にしか見えなかった。

しかし、王家との婚約であるため、シリウスの許可だけでは話は進まない。正式な決定には身上調査が入り、更に国王と議会の承認がいる。現在、エステルはロージェル侯爵家に滞在しながら手続きが終わるのを待っているところだった。

フローゼス伯爵家のタウンハウスに戻らずそのままロージェル侯爵邸に滞在しているのは、アークレインから求婚され、エステルに警護が必要になったせいだ。

一軒家という規模に過ぎないフローゼス伯爵家のタウンハウスでは防犯上の不安がある。エステルを押し付けられたクラウスは、面倒そうな顔を隠そうともせずエステルを受け入れた。

また、エステルには射撃の心得があったので、念のために護身用の銃も携帯する事になった。今もドレスの下には小型の魔導銃を忍ばせている。

エステルはとんでもない人物に目を付けられた事にため息をついた。

(危険なだけじゃなくて勉強までやらされる羽目になるなんて)

腕の怪我が良くなると同時に、エステルには家庭教師が付けられた。

語学、宮中祭祀(さいし)、ローザリアと近隣諸国の地理歴史、礼儀作法の見直しなど、王子妃になるには普通の貴族令嬢以上の知識や教養が必要になる。そのための学習もまたエステルにとっては苦痛だった。


(えっと……ここはロージェル侯爵領で、主要産業は農業。生産物は小麦がメイン。その隣はマールヴィック公爵領で……)

邸の図書室で地理の課題に取り組んでいたエステルは、顔をしかめた。

女学校に在学していた時から地理は苦手だった。大ローザリア島の中でも北部の産業ならなんとなくわかるのだが、馴染(なじ)みのない地域になるとさっぱりだ。興味もないからなかなか覚えられなくて、学生時代苦しんだ事を思い出す。

王子妃になるなら国中の貴族や領地の知識は必須だ。貴族の顔や名前と一致させて覚えておかなければ、妃として社交界に出た時に困る。

教本と照らし合わせ、うんうんと唸りながら白地図に領主の名前と主要産業を埋める課題に取り組んでいると、机の上に人の頭の形の影が差した。

驚いて顔を上げると、そこにはエステルをこんな状況に追い込んだ張本人であるアークレインが立っていた。

「アークレイン殿下」

「こんにちは、エステル。様子を見に来たよ」

「ノックもなしに入ってこられるなんて……」

「ノックならしたよ。集中しすぎて気付かなかったんじゃないかな？」

「……公務はどうされたんですか」

「今日は早く終わったんだ」

むっつりとした顔で尋ねるエステルに、アークレインはにこやかに返事をした。

この十日間、アークレインは『エステルに一目惚れした王子様』を演出するため、二日に一度のペースでロージェル侯爵邸を訪れていた。その度に楽しげにエステルをからかって去っていくのだから性悪である。

机の上にアークレインの手が伸びてきて、エステルが取り組んでいた課題を奪い取った。

「これは地理？　かなり苦戦してるみたいだね」

「……苦手なんです」

「知ってる。君の学生時代の成績は確認させてもらったからね」

「うそ……ご覧になったんですか？」

女学校時代のエステルの成績は、いい科目と悪い科目がハッキリと分かれていて、大嫌いだった地理と歴史の成績は壊滅的だった。それをアークレインに見られたかと思うと恥ずかしい。

睨みつけるとアークレインは楽しげに笑った。マナが明るく輝いているのがまた憎たらしい。

「身上調査の一環でね。フローゼス伯爵家の財政状況から君達兄妹の学生時代の成績、日常生活などありとあらゆる事が調べられて父上に報告されてるはずだ」

最悪だ。エステルは思わず顔をしかめた。

「地理も歴史も嫌いです。覚えられません。学生時代は丸暗記でどうにか落第だけはしないようしのぎましたが、卒業した瞬間に全て忘れました」

「丸暗記より地理現象から論理的に理解した方が効率がいいよ」

「論理、ですか……？」

エステルはアークレインの助言にきょとんと首を傾げた。

「例えばクラレット伯爵領はワイン事業で有名だよね？　ワインを造るのに必要な果物は何？」

「葡萄です」

「葡萄の栽培に必要なのは乾燥と日照だ。クラレット伯爵領はほら、ヘレディア大陸から張り出した半島に守られるような地形になってるから、雨が降りにくいんだ。そう考えると白地図のここは埋まるよね？」

アークレインはトン、と白地図の大陸に接した領地を指で示した。

「エステル嬢の領地はエールとソーセージで有名だよね？　それは何故？」

「土地が痩せていて寒いから大麦の栽培が盛んで、そもそも作れる作物が限られているから豚の放牧をする農家が多いから、です」

よその事は覚えられなくても自分の領地の事ならばわかる。自信満々に答えると、アークレインは意地悪そうな笑みを浮かべた。

「数ある家畜の中で、牛でも羊でもなく豚なのはどうして？」

「えっ……」

突っ込んだ質問に、エステルは固まってしまう。

アークレインはそんなエステルに向かって軽く肩をすくめると解説を始めた。

「豚は効率がいいからだよ。すぐに育って早く肉になる。北部に混合農業が行われる地域が多いのも、北の厳しい風土が影響している。混合農業の解説も必要かな？」

「馬鹿になさらないでください。それくらいはわかります」

混合農業とは、家畜飼育と作物栽培を組み合わせた農業の事だ。

フローゼス伯爵領では食料として大麦とじゃがいもを、飼料作物として牧草となるアルファルファや甜菜（てんさい）などを育てながら養豚で生計を立てている領民が多い。

「それぞれの地域で発達した産業には、気候や地理条件など、なんらかの理由が大抵あるんだよ。

製鉄所が海沿いに多いのは、製鉄に必要な鉄鉱石と魔導石の輸送が船で行われるからだ。その辺りを理解すると覚えやすいかもしれない」

「……はい」

力なく答えると、ハーフアップにして下ろしていた髪にアークレインの手が伸びた。

アークレインはエステルの髪を撫でるように梳くと、一房つまみ上げて口付けた。ベルガモットの香りがふわりと鼻腔をくすぐる。

「!?」

「君には申し訳ないけれど頑張って。警報装置として役に立ってもらう分、相応のものは返すつもりだから」

至近距離で微笑む秀麗な容貌に胸が高鳴った。

この王子様は性質が悪い。自分の容姿が持つ破壊力を理解してこのような行動に出てくるのだ。

アークレインとクラウスはエステルの願いを汲んで、今のところ異能の事は秘密にしてくれている。エステルが『覚醒者』だと知っているのは、今のところアークレインとクラウス、クラウスの母のシエラ、そして側仕えの侍女兼護衛としてアークレインの元から派遣されてきたメイという女官の四人だけだ。

異能を隠す条件は、アークレインの傍に侍り、その異能を彼のために役立てる事だった。

未婚の伯爵令嬢を傍に置く一番手っ取り早い手段は結婚である。だからアークレインはエステルに求婚をした。まずは婚約者として。いずれは王子妃に。子供も最低一人は産んで欲しいというのが彼の希望である。しかしそれはエステルの人生を縛るのと同義だ。

当然エステルは抵抗した。そんな彼女に、アークレインは妃として最大限尊重すると約束した。そこにはフローゼス伯爵領のためにアークレインが便宜を図る事も含まれている。

しかしエステルの感覚としては、アークレインが第二王子との政争に敗れた場合のリスクを考えると素直に喜べなかった。

(勘違いしちゃ駄目)

エステルは、アークレインから目を逸らすと自分を戒めた。

アークレインがエステルを求めるのは、異能という特別な力があるから。エステル自身を求めた訳ではない。

彼がエステルに優しくするのは、自分に惚れさせて結婚の話が進みやすくするために決まっている。そんな事はわかっているのに、アークレインの行動に一喜一憂して心が動かされる自分に腹が立った。

彼と結婚して、夜の生活もすると考えると嫌ではなくて……むしろドキドキする自分がいる。

(馬鹿みたい)

顔がいいからと言って惑わされては駄目。

エステルは心の中で呟くと、アークレインに傾きつつある自分の気持ちを追い出すために軽く頭を振った。

この王子様は権力と脅迫で強引にエステルを利用しようとしている酷い人なのだ。それを肝に銘じておかなければいけない。

少しは息抜きをした方がいい、と主張するアークレインによって、エステルは図書室から温室(コンサバトリー)へと連行された。邸の一画に作られた硝子(ガラス)張りのテラスには南国の観葉植物が並べられており、穏やかな日差しが差し込んで暖かく、寒々しい庭の景色とは対照的だった。

中央に置かれたガーデンテーブルには、侍女のメイによってティーセットが用意されている。

メイことメイベル・ツァオはエステルの専属侍女である。エステルの秘密を知る四人のうちの一人で、アークレインが宮殿からエステルのために派遣してくれた王宮女官だった。東洋の血が混ざっているという彼女は、涼しげな顔立ちのクールビューティで物静かな女性だった。

フローゼス伯爵家から慣れ親しんだ使用人を呼ぶ事はアークレインから止められて叶わなかった。『覚醒者』である事も能力も秘密にするのであれば、口の堅いアークレインの配下の者を傍に置くべきだと説得されたのである。

エステルに悪い感情を抱く人間は、自分の精神衛生上、側仕えにはできない。幸いメイはプロ意識が高いのか、傍にいても不快なマナの揺らぎを見せる事はなかった。

なお、アークレインにとって、生母ミリアリア前王妃の実家であるロージェル侯爵家は、言わば第二の家で、当主であるクラウスがいなくても我が物顔で出入りできる場所らしい。

「今日ここに来たのは、これを渡したかったからなんだ」

席に落ち着くなり、アークレインはロイヤルブルーの封筒を差し出してきた。

封筒には白薔薇が描かれた盾と王冠の紋章が印刷されている。封筒の色も紋章も、どちらも王家をあらわすものだ。不吉な予感がしてエステルは顔をしかめた。

「読まなければいけませんか……？」

「そうだね。王妃からの手紙だからね」

封蠟（ふうろう）に押されている印章は百合。これはトルテリーゼ王妃の印章だ。王族は個人的に使う印章として、男性なら動物、女性は国花の薔薇以外の植物を定める伝統があった。ちなみに国王は狼でアークレインは虎である。

「婚約の承認を出す前に、父上とトルテリーゼ王妃が君に会いたいってさ。これは王妃主催のティーパーティーへの招待状」

「お母様とはお呼びにならないんですね」

「本人が目の前にいたら一応義母上って呼ぶけどね」

アークレインのマナが陰った。二人の王子の対立を煽っているのは、自分の息子を王位に就けたいトルテリーゼ王妃だと言われている。

おとぎ話に登場する継母は大抵悪役だ。アークレインにとっても同じなのだろう。生（な）さぬ仲の親子関係の難しさは、王族も平民も変わらない。

「ティーパーティーには私もついて行くから、そんなに緊張しなくていい。婚約は余程の事がない限り承認してもらえるはずだ」

「そうなんですか？」

「父上の反応はまだわからないけど王妃は賛同に回るはずだからね。下手に反対して私がオリヴィア嬢を迎えると、向こうにとっては面倒な事になる」

被害妄想かもしれないが、遠回しにフローゼスはレインズワース以下だと馬鹿にされた気がした。

（事実だけど……）

所詮フローゼス伯爵家は北の田舎領主である。ローザリア屈指の名門であるレインズワース侯爵家には色々な意味で敵(かな)わない。

「ティーパーティーは三日後だ。後で君が持参したドレスと宝飾品を見せてほしい」

この邸で過ごすにあたって、エステルはフローゼス伯爵家のタウンハウスから身の回りのものをこちらに届けてもらっていた。

「ご覧になってどうするおつもりですか？」

「どうせなら私の衣装も対になるようなものにしようかと思って」

「逃げ道がどんどん塞がれていきますね」

「私が一目惚れしたって設定だからね。信憑性(しんぴょうせい)を高めるためにもやれる事はやらないと」

アークレインはにっこりと微笑んだ。彼は嗜虐(しぎゃく)趣味があるに違いない。エステルが嫌そうな顔をすると実に楽しそうな顔をする。エステルを尋問する時に一度見せた獰猛な表情、あれもまた彼の本質なのだろう。

目の前に置かれたお茶とお菓子が一気に不味(まず)くなった。

◆　◆　◆

――アークレイン殿下に恋の予感？　舞踏会での運命の出会い。

――お相手はレディ・エステル・フローゼス！


「なんなのよこの記事は！」

新聞をぐちゃぐちゃにして床に叩き付けたディアナ・ポートリエの姿を、ユフィルは冷ややかな眼差しで見つめた。

ユフィルはディアナ付きの侍女（レディースメイド）だ。だから内心は押し隠し、不安そうな表情を作る。

「エステル・フローゼスが第一王子に見初められたですって？　なんであの女ばっかり！」

次はソファに置いたクッションがテーブルに投げ付けられた。

ガシャン、と音を立て、テーブルの上に飾られていた硝子（ガラス）の花瓶が落ちて割れる。

割れた硝子に散らばった花、そして絨毯（じゅうたん）に零（こぼ）れた花瓶の水。全てを片付けるのはユフィルの仕事だ。

（お嬢様の八つ当たりがまた始まった）

うんざりしながらもおろおろとした表情を作り、ユフィルはディアナの肩にそっと手を添えた。

「このような記事を信じてはなりません。低俗な大衆紙（タブロイド）ではありませんか」

このポートリエ男爵家の邸では、世の中の事情をより詳しく知り、分析するため、上流階級を読者とする高級紙（クオリティ・ペーパー）から過激で眉唾物の記事も多い大衆紙まで複数の新聞を購入している。ディアナが荒れ始めたのは、そのうちの一つをたまたま目にしたのがきっかけだった。

ディアナはエステル・フローゼスを敵視している。その理由は今からさかのぼる事八か月前、今年の三月に、彼女がライル・ウィンティアと劇的な出会いをした事がそもそもの始まりだった。

それは劇場からの帰り道で起こった。観劇を終え、邸に戻る途中でディアナの乗る馬車の馬が暴走した。そこから颯爽とディアナを助けたのがライルだった。

出会いとしてはかなりありがちだが、狂乱状態に陥った馬に飛び乗り、馬車を停めた黒髪の貴公子にディアナはころりと恋に落ちた。だが不幸にも彼にはエステル・フローゼスという婚約者がいた。しかし、ライルをどうしても諦め切れなかったディアナは、彼を手に入れるために父親に泣きついたのである。

ポートリエ商会の会長で、外では曲者として知られるディアナの父親は娘には甘かった。昨年の長雨の影響で経済的に困窮していたウィンティア伯爵家を追い詰めて、瞬く間にライルとエステル・フローゼスの婚約を破談になるように仕向けたのだから恐ろしい人物である。

（エステル嬢には勝てると思ったんですよね、ディアナお嬢様）

ディアナを宥めながらユフィルは心の中で呟いた。

ユフィルの知るエステルは、確かにぱっと見の印象はディアナと比較すると地味なお嬢様だった。

金茶の巻き毛にペリドットのような黄緑色の瞳を持つ華やかな美女であるディアナに対して、エステルは瞳の色こそ珍しい赤紫だが髪の色は平凡な茶色なので見劣りする。

社交の場で見かける服装にしても、エステルよりもディアナの方がいいものを身に着けているだろう。その点をディアナは指摘し、陰ではエステルの事をこき下ろしていた。お金をばら撒き、むしろ悪者はエステルの方だという噂を流したのもディアナである。

（でもねディアナお嬢様、見る人によってはきっとエステル嬢の方が魅力的なんですよ）

ディアナは美人でお金持ちだ。それは万人が認めるところだろう。しかし気が強く我が儘で、はっきり言うと性格が悪かった。

エステルの性格をユフィルは知らない。しかし、エステルの顔立ちは十分に美人の範疇に入っているし、清楚で落ち着いた雰囲気を持つ彼女を好ましく思う男性は決して少なくないはずだ。

（……ライル様は恐らく、エステル嬢に心を残していらっしゃる）

少なくともユフィルの目にはそう見えた。そしてディアナも恐らく勘付いている。だからこそディアナは余計にエステルを敵視するのだろう。

十日ほど前、ロージェル侯爵家主催の舞踏会で襲撃があり、彼女が不幸にも怪我をしたと聞いた時には、可哀想と言いながら陰で嘲笑っていたくらいディアナはエステルを嫌っている。

しかしその事件がロマンスに発展するのだから、人の未来というものはわからない。

強欲で子供っぽく、我慢ができないディアナの事をユフィルは憐れんでいた。

こんなお嬢様を宥めすかし、我慢して仕えている理由はただ一つ、給金がいいからだ。だからユフィルは内心を隠してディアナに媚を売る。

「お嬢様、もし第一王子殿下とフローゼス伯爵令嬢が引っ付いたとしても、この先どうなるかなんてわからないですよ。だってアークレイン殿下は王妃陛下から睨まれてるんですよね？」

「それはそうだけど腹が立つのよ！　ライル様はまだあの女の事が忘れられないみたいだし、更に殿下を射止めただなんて！」

わめきながらディアナは床に落ちたクッションを何度も何度も踏みつけた。

花瓶の硝子（ガラス）の破片を避け、怪我しないように八つ当たりするあたりがなんともディアナらしい。

嵐が過ぎ去るまでもう少し時間がかかりそうだ。ユフィルはあきれ返りながら、おろおろとした表情を作りディアナを慰めるという作業を続けた。

◆　◆　◆

トルテリーゼ王妃主催のティーパーティーの日がやってきた。

「エステル嬢、今からアルビオン宮殿に向かうのね？」

アークレインが迎えに来たと聞いて、玄関ホールに向かおうとしたエステルに声をかけてきたのは、クラウスの母である前ロージェル侯爵夫人のシエラだった。

シエラは、銀色の髪に淡い水色の瞳が氷の精霊のような若々しい美女である。クラウスの容貌は彼女から受け継いだものらしく、二人並んでいる姿は姉弟のように見えた。クラウスと大きく違うのは性格だ。あまり表情が変わらず、研ぎ澄まされた刃のようなクラウスと違って、シエラは黙って立っていると女神像のような美女なのに、口を開くと途端に感情豊かになる可愛らしい印象の女性だった。

「あの女狐に何かされないか心配だわ。文句のはけ口になるくらいしかできないけれど、腹の立つ事があったら言ってね」

ぐっと握りこぶしを作って激励してくれるシエラは、とても二十三歳の子供がいるようには見えない。実年齢は恐ろしくて聞けないが、見た目は二十代後半の年齢不詳の美女である。エステルが侯爵邸で自分の家のようにくつろげているのは、シエラが色々と配慮をしてくれるおかげだ。

「ありがとうございます、シエラ様」

この人がいなければ、アークレインに求婚されてから大きく変化した生活に耐えられなかったかもしれない。エステルはシエラにぺこりと頭を下げると、お礼を言って別れた。

シエラがエステルに良くしてくれるのは、オリヴィアの母であるレインズワース侯爵夫人との間に確執があるかららしい。もちろんアークレインの気持ちや、エステルが『覚醒者』である事もその理由に含まれているようだが、彼女にとっては何よりも、オリヴィアがアークレインの妃になって、レインズワース侯爵夫人の派閥内での影響力が増す事が許せないようだ。

派閥の世界は怖い。まるで動物の世界のボス争いだ。しかし今後はエステルもその世界に足を踏み入れる事になる。

憂鬱な気持ちを抱えながら階段を下りていくと、玄関ホールからこちらを見上げるアークレインと目が合った。

アークレインは、事前の打ち合わせ通り、黒のフロックコートに赤紫のタイとポケットチーフを合わせていた。対するエステルの衣装は、赤紫をベースに、黒のレースやリボンなどの装飾が入った長袖のデイドレスである。二人の衣装に取り入れたロゼワインのような赤紫は、エステルの瞳と同じ色でもあった。

二人で並べば一対になる装いは少し気恥ずかしい。整った容貌の彼の隣に立って見劣りしないか心配になってくる。

「よく似合ってるよ、エステル」

アークレインはエスコートのために手を差し出してきた。

その手を取って身を寄せると、ベルガモットの香りがした。アークレインと何度も接するうちに気付いた。これは彼が好んで使っているオリジナルの香水の香りだ。

「ティーパーティーの参加者は父上と王妃だけだからそんなに気負わなくていい。ただ、パーティーの間の父上と王妃のマナの状態は後で教えてくれるかな？」

「はい」

エステルは頷くと、アークレインと一緒に王家の紋章がついた馬車に乗り込んだ。

◆◆◆

国王の住まいであるアルビオン宮殿は、首都の北に位置しており、十二の建物で構成されている。この十二の建物には、それぞれ黄道十二星座にちなんだ名前が付けられていて、王族は七歳の誕生日を迎えると宮が一つ与えられ、両親から離れて暮らすのがしきたりだった。

王妃主催のティーパーティーの会場は、国王と王妃の住まいである獅子宮である。

馬車の中では、アークレインがエステルに溺れているという演出のため、並んで座る羽目になり、精神力が削られた。

頭痛を覚えながら馬車を降りると、獅子宮の女官が待機していた。その女官の案内を受け、ティーパーティーの会場である部屋に向かうと、その中には既に国王夫妻の姿があった。

「父上、義母上、連れて参りましたよ。エステル・フローゼス嬢です」

王妃本人を目の前にしたら、あらかじめ聞いていた通り義母と呼んでいる。

「ローザリアの輝ける太陽、国王陛下、並びに王妃陛下にエステル・フローゼスがご挨拶申し上げます」

アークレインの紹介を受け、エステルは王と王妃に拝謁する際の正式な口上を述べた。

「ようこそ、アークレイン、エステル嬢。どうぞ、お掛けになって」

トルテリーゼ王妃から許しが出たので着席したエステルは、こっそりと国王夫妻を観察する。

(……殿下の嘘つき)

二人ともマナが陰っているところを見ると、エステルはあまり歓迎されていないようだ。王妃の方がより昏く陰っている。

トルテリーゼ王妃にとって、オリヴィア・レインズワースよりエステルを妃に迎える方が都合がいいという推測は何だったのだろう。

国王サーシェス・エゼルベルト・オブ・ローザリアは、アークレインが年を取ればこうなるであろうという容姿のおじさまだ。若かりし頃は社交界で絶大な人気を誇っていたと聞いた事がある。その面影は今も残っていて、年を重ねた大人の魅力があった。

サーシェスはアークレインやリーディスと同じく『覚醒者』だ。強力な念動力の使い手で、アークレインよりは劣るものの、王族らしく大きなマナの所持者である。

その横に並ぶトルテリーゼ王妃も大輪の薔薇の花のような華やかな女性だ。紅茶色の髪に強い光をたたえる青い瞳が印象的で、威厳と気品に溢れている。

オリヴィア・レインズワースやロージェル侯爵家の人々にも共通する青い瞳は、大ローザリア島南部の王家に近い高位貴族に多い色合いである。

トルテリーゼ王妃は、王家のスペアとも称されるマールヴィック公爵家の出身だけあって、国王やアークレインにも共通するロイヤルブルーの瞳の持ち主だった。

エステルも伯爵家の娘だ。社交界にデビューした二年前に国王夫妻と面会している。だが、こんなふうに私的な空間に招かれるとなると話は別だ。緊張でお腹がしくしくと痛んだ。

「まずは礼を言いたい。我が息子を助けてくれてありがとう、エステル嬢」

「私からもお礼を申し上げます。暴徒の凶弾から第一王子を守って下さり感謝しております」

「王家を支える藩屏（はんぺい）の一員として当然の事をしたと存じております」

そんな会話を皮切りに、エステルにとっては針のむしろとなるティーパーティーが始まった。

「フローゼス伯爵領は我が国でも有数の豪雪地帯と聞いているわ。そろそろ雪が降り積もる時期なのかしら？」

「そうですね。だいたい十二月頃から積もり始めます」

「令嬢の領地は竜生息地の北限だったか。今年も竜害がいくつか発生したそうだね。補助金に関してはそろそろ裁可がおりてそちらに連絡が行くと思う」

「お気にかけて頂きありがとうございます」

「晩冬から初春にかけてが竜伐のピークだったかしら？　フローゼス伯爵自ら陣頭指揮に立たれると聞いたわ」

「はい。竜の間引きは領民の生活の安定にも繋がりますから……」

表面上はにこやかに当たり障りのない会話を交わす。しかし国王夫妻のマナはずっと陰り続けていて、彼らの本音は別の部分にある事を示している。

お茶もお菓子も王室御用達の最高級品なのに、ちっとも味がわからない。エステルはひたすら早く時間が過ぎるよう祈った。

「……そろそろ本題に入ろうか」

どれくらい経った時だろうか。国王がぽつりと切り出してきた。

「そうですね、そろそろ父上と義母上にもエステル嬢の人柄はおわかり頂けたのではないかと思います。私は彼女を妃として迎えたいと思っております」

受けて立ったのはアークレインだった。

「第一王子妃として迎えるという事は、未来の王妃になる可能性があるという事だ。アークレイン、資質という意味ではオリヴィア嬢の方が良いように私には思えるのだが」

言われると思った。アークレインとの婚約が秒読みに入っていると噂されていたオリヴィア・レインズワースに比べたら、エステルは家格(かかく)も中央への影響力も、どうしたって見劣りする。

エステルが『覚醒者』である事は王には知らせていない。

王族はまだ幼いうちに自分の宮を与えられて育つ。そのためアークレインとサーシェス王との親子関係は世間一般の親子よりも距離があり、完全な味方とは言いきれない状態らしい。

異能の事を明かせばエステルは誰よりも有力な王子妃候補になり得る。しかし王に教えれば王妃に筒抜けになる可能性があるので秘密にする事になったのだ。

不穏なマナを向けられるのは精神的にこたえる。俯いたエステルの膝の上に置いた手に、アークレインの手が伸びてきた。そのまま手を重ねられ、エステルは目を見開く。テーブルクロスに隠されて、国王夫妻からは見えないはずだ。重ねられた手から伝わる温もりに胸がドクリと高鳴った。

「……陛下、大切なのはアークレインの気持ちではありませんか？　確かにエステル嬢はオリヴィア嬢と比べると色々と足りておりませんが、それは今後の努力で補っていけばいいのです」

王妃が取り成すように発言した。マナはより昏く陰る。

（どうしてマナが？）

中央への影響力が強く、第一王子派の重鎮でもあるレインズワース侯爵家とアークレインが結びつくよりも、エステルが妃になった方がリーディスを王位に就けたいトルテリーゼ王妃には都合がいいはずだ。

「次期国王の選定には、王子妃の人となりも含めて考える事になる。それは覚悟の上なのか？」

「はい。承知しております」

「……今日すぐに婚約の許可は出せん。もう少し検討の時間が欲しい」

「前向きにご検討頂けると信じております」

親子の応酬を最後にティーパーティーはお開きになった。

◆◆◆

獅子宮を出て、帰りの馬車に乗り込み、ようやくエステルは緊張から解き放たれた。アークレインは行きと同じくエステルの隣に座ってくる。エステルは遠い目で受け入れた。

「予想通り王妃は反対しなかったね。父上はああ言ってたけど、たぶん承認は下りると思うよ」

「そうでしょうか？　二人ともマナが陰っていらっしゃいましたよ？」

エステルの言葉に、アークレインは目を見開いた。

「陰ってた？　王妃も？」

「はい。口では私を後押しするような事を仰っていましたが、国王陛下よりマナの淀みは酷かったです」

「…………」

アークレインは顎に手を当てると考え込んだ。

「……過去に王妃と面識があったりする？」

「いいえ。デビュタント・ボールの時に拝謁したくらいで、まともにお話ししたのは今日が初めてです」

社交界にデビューした後も何度か宮殿を訪問する機会はあったが、国王夫妻というのはエステルにとっては遠くから姿を見るだけの雲の上の存在だった。

「フローゼスと王妃の実家との間に何か確執でもあったかな……？　少し調べてみるか……」

エステルはぶつぶつと呟くアークレインの横顔を見つめた。端正に整った顔はいつ見ても憎らしいくらいに格好いい。

国王の承認が下りたら、この人が未来の夫になる事がほぼ確定する。死の危険が付きまとう人物だが、それを差し引いても魅力ある男性だ。

だけど、もし婚約が認められなかった場合、エステルの扱いはどうなるのだろう。アークレインがエステルの異能を利用するためには傍に置いておく必要がある。

婚約は伯爵令嬢であるエステルを隣に置くための一番まっとうな手段だが、その手段が認められない場合は……。

「もし陛下の許可が出なかったら殿下はどうされるおつもりですか？　愛人として囲われるのは流石に嫌なのですが」

「許可は下りるよ、たぶん。ギルフィス公の駆け落ち事件の例があるから今の王家は恋愛結婚には寛容だ。そういう意味ではあの方には感謝しないといけないね」

「『王冠を賭けた恋』ですか」

ギルフィス公とはアークレインの祖父の兄で、王太子でありながら恋に狂い、王冠を捨てた事で有名な人物だ。

ギルフィスが恋をした相手は、離婚歴のある準貴族の女性だった。

彼はその女性との結婚を熱望したが、あまりにも相手の条件が悪すぎた。この恋は、当時の国王（アークレインの曾祖父）や貴族だけでなく、世論からも大きな批判を受けた。

最終的にギルフィスは全てを投げ捨て、女性と新大陸に駆け落ちするという暴挙に出た。

なお、その恋は悲劇的な結末を迎える。

新大陸に渡って五年後、ギルフィス廃太子とその妻エイニスは馬車の事故でこの世を去った。この事故に関しては、王家の諜報機関である『薔薇の影』が関与しているのではないかとまことしやかに囁かれている。

スキャンダルから非業の死を迎えた元王太子の生涯は、『王冠を賭けた恋』と呼ばれ、人々の心に鮮烈な印象を残した。

「ギルフィス公の事件はとんでもないスキャンダルになったからね。エステルは未婚だし伯爵家の出身だから、そこまで強硬に父上は反対しないと思う」

「でも……もし許可が下りなかったらどうなさるおつもりですか？」

「その時は君を傍に置くための別の方法を考えないといけないね。ここまで私と噂になったら女官として出仕してもらう手段は取りづらいから、寵姫として召し上げるしかないかな……」

「愛人は嫌だって言いましたよね？」

「最大限大切にする。そうなった場合は妃より君を尊重すると約束するよ」

「そういう問題ではないです。妃になる人にも失礼です」

そもそもエステルは一人の男を別の女性と共有するなんて絶対に嫌だ。

貴族の結婚は基本的に政略結婚だ。子供を設けるという義務を果たした後は、自由な恋に走り愛人を持つ人がいるのは知っている。だけど、今の段階でそんな事は考えたくない。

「まずは父上が許可を出して下さる事を祈ろうか」

この人は平然とした顔でなんて酷い事を言うのだろう。

女性としてのエステルも、個人の感情もアークレインには不要なもので、ただ便利な警報装置を傍に置きたいだけ――そんなふうに宣言されたような気がした。

◆
◆
◆

ロージェル侯爵邸に戻ると、クラウスとシエラに出迎えられた。

領主業の傍ら(かたわ)アークレインの側近を務めるクラウスは、多忙を極めていて邸(やしき)にはあまり帰ってこない。アークレインの宮である天秤宮(てんびんきゅう)に泊まり込む事が多いようで、こうして顔を合わせるのは久しぶりだった。

「お疲れ様でした、殿下。ティーパーティーはいかがでしたか？」

「今日のところは保留になった」

答えたのはアークレインである。

「サーシェス陛下は即断即決なさらない方ですからね」

クラウスは軽く肩をすくめると、エステルに視線を移した。

「エステル嬢、疲れたでしょう。夕食まで部屋で休まれますか？」

クラウスはアークレインがエステルに求婚してから、初対面の時が嘘のように丁寧な態度を取るようになった。主君の未来の妻としての扱いらしい。

「……夕食は喉を通りそうにないので今日は結構です。申し訳ありません」

「あら、それは良くないわね。エステル嬢、ひとまずお部屋でお休みなさい。夜中にお腹が空いてはいけないから、後で簡単に摘める軽食を持っていかせるわ」

気遣わしげなシエラの申し出はありがたかった。

エステルはその言葉に甘えて、自分に割り当てられている客室に一足先に向かう事にした。

◆

◆

◆

エステルをロージェル侯爵家のタウンハウスに送り届け、自分の宮である天秤宮に戻ってきたアークレインは、父、サーシェスと対面していた。

宮殿に張り巡らされた隠し通路を使った極秘の訪問だ。その目的はわかっている。昼間のティーパーティーで紹介したエステルについて物申したいのだろう。

「正気かアーク、オリヴィア嬢ではなくあの娘を選ぶなど」

サーシェスは、ソファにどっかりと腰掛けるなり単刀直入に切り込んできた。

「この上なく正気ですよ、父上。私はエステル嬢を好きになってしまったのです。妃にするなら彼女以外考えられません」

「その感情が本物であればいいいんだがな……」

この父は妙なところで勘が鋭い。疑いの眼差しを向けられて、アークレインはどう言いくるめるか思考を巡らせた。

「お前は王になりたくないのか？　あの娘を婚約者として認めればレインズワースも黙ってないだろう」

「なりたくないと以前にも申し上げたはずです。王位など、なりたい者が継げばいい」

「私はお前が継ぐべきだと思っているんだがな……」

そう告げたサーシェスの顔には苦々しいものが溢れていた。サーシェスは、ローザリアは法治国家であるという観点から王室法の長子相続の原則を崩すべきではないという考えを持っている。しかし、王妃とマールヴィック公爵を始めとする第二王子派の反発が目に見えているため、公式な場所での明言を避けているのが実情だった。

「エステル・フローゼスを選ぶとそちらの派閥はガタガタになるぞ？」

「よろしいのではありませんか？　リーディスを指名しやすくなりますよ」

「あれは性格がな……」

「まだ子供です。成人する頃にはもう少し落ち着くのでは？」

「不確定な未来に賭けるよりは、素直にお前が王になってくれる方が私は安心できるのだがな……」

ため息をつきながらサーシェスは眉間に皺を寄せた。

「お前には余計な苦労をかけて申し訳ないと思っている」

そう告げるサーシェスを、アークレインは冷ややかな目で見つめた。

父が自分を第一子としてそれなりに愛し、尊重してくれている事は知っている。だけどその愛情は等しくトルテリーゼ王妃にもリーディスにも注がれているのが現実だ。今の父は、誰も切り捨てられず、板挟みになって苦しんでいる。

ミリアリア前王妃があまりにも早く亡くなったから、サーシェスは王として後継者のスペアを作るために後妻を迎えなければいけなかった。その事情は理解できるし、始めはミリアリアに遠慮して冷遇していたトルテリーゼをいつしか寵愛するようになった事も責めるつもりはない。

リーディスの血統と空間転移という希少価値の高い異能、その二つのせいで王妃とマールヴィック公爵が余計な欲を抱いてしまったのが悲劇の始まりだった。

「今からでも遅くない。婚約の件は考え直さないか？」

「お断りします」

アークレインはきっぱりと言い放った。早く父が自分を諦めてくれる事を願いながら。

玉座なんていらない。第二王子派の連中に敵視され、足元をすくわれないように気を張る日々から早く解放されたい。アークレインの中にあるのはそれだけだ。

◆　◆　◆

「ん……」

エステルが目覚めると、周囲は既に真っ暗になっていた。

時計を確認すると時刻は四時を指している。明け方の四時と考えて良さそうだ。

アルビオン宮殿からこの邸に戻ってきて、楽な服に着替えてからの記憶がない。ソファに座ってメイに淹れてもらったお茶を飲んだ後の事が思い出せないから、恐らくそのまま眠ってしまったのだろう。

誰かが運んでくれたらしく、エステルはベッドの中にいた。

一体、誰が運んでくれたんだろう。疑問に思いながらも身を起こし、枕元にあった魔導ランプの明かりを点ける。室内は暖炉の火が落ちて随分と時間が経っているのか少し肌寒かった。

いつもより早く寝落ちたせいか、これ以上は眠れそうにない。エステルは上着とショールをしっかりと羽織ると窓際へと移動した。

分厚い繻子のカーテンを開けると、冴え冴えとした銀色の三日月と、兄と同じ名を持つ冬の星、シリウスが視界に入ってきた。

古語で『焼き焦がすもの』という意味を持つシリウスは、冬の空で最も輝く星だ。

エステルの両親は兄妹に星にちなむ名前をつけた。エステルは一番星、宵の明星をあらわす言葉だ。

首都は夜でも魔導灯の光があるため、フローゼス領ほど星が見えない。ここから見えるのは強く輝く一等星だけだ。晴れた日には天の川すら目視できる故郷の澄み切った夜空が恋しかった。かえりたい。

しっかりと眠ったはずなのに酷く心身共に疲れていて、何故か涙が零れた。

◆◆◆

「エステル嬢、どうしたの？　酷い顔よ」

翌朝の朝食の席では、シエラから心配されてしまった。珍しく朝食の席に同席しているクラウスも、物言いたげな視線を向けてくる。

「昨日は疲れていたんでしょうね。部屋に戻ってからすぐに眠ってしまって……明け方の変な時間に目が覚めて眠れなくなってしまったんです」

エステルは苦笑いした。ホームシックのような状態になって泣いてしまったので、自分でも酷い顔をしている自覚はある。取り繕うために寝室に置かれていた水差しの水を使って冷やしたものの、明るくなってから鏡で確認するとまぶたは腫れぼったくなっていた。

「エステル嬢、少しいいですか？」

クラウスから呼び止められたのは、食事を終えて自室に戻ろうとした時だった。

「なんでしょうか、クラウス様」

「……大丈夫ですか？」

質問の意図がわからず首を傾げると、ため息をつかれた。

「泣いていましたよね？　明け方の四時頃でしたか。中途半端な時間に目が覚めてテラスに出たら、女性のすすり泣くような声が聞こえてきました」

「……どうして私だと決めつけるんですか」

「私は聴力には自信があるんです。寒いのに外に出たりなんかして、風邪でも引いたらどうするんですか」

「その言葉、そっくりそのままクラウス様にお返しします」

「…………」

沈黙と共に冷たい視線が向けられた。

「殿下からの求婚がそんなにお嫌ですか？」

「…………」

嫌だ。しかし、そんな本音はアークレインの側近であるこの人には言えない。

黙り込んだエステルに向かってクラウスはため息をついた。

「第一王子妃は、女性としてはこの国では王妃に次ぐ二番目に高い地位ですよ」

クラウスはエステルの沈黙を肯定と受け取ったようだ。

「私には分不相応です。王子妃なんて地位が高すぎて……」

「高すぎるという事はないでしょう。あなたは伯爵令嬢だ。歴代の王子妃は大抵伯爵位以上の貴族から出ています」

クラウスは表情に乏しい。無表情でそう告げられると、責められているような気分になる。

「私はフローゼス領のためになる貴族の家に嫁げればと思っていたので……領主の妻になるための教育は受けていても王族に嫁ぐための教育は受けていません。正直……王子妃になるための追加の教育課程を受けなければいけないのは荷が重いですし苦痛です」

エステルは訥々（とつとつ）と言葉を連ねながらクラウスを睨んだ。するとまた、ため息をつかれた。

「女性の幸せは望まれて嫁ぐ事では？　殿下はあなたを望まれています。国王陛下から認められなかったとしても必ず傍に置くと明言されるくらいに」

望まれているのに何が不満だ、お前ごときが不満を漏らすなんておこがましい――クラウスはそう言いたいのだろうか。

「殿下は私を女性として求めていらっしゃる訳ではなく、異能を利用しようとされているだけです」

「……そうでしょうね。ですが、それの何が問題です？」

「は？」

「殿下はあなたの能力を買っていらっしゃるんです。それは、恋愛感情などという不確かなものよりも、ずっと強い繋がりを殿下との間にもたらしてくれるのではないですか？」

エステルは驚いてクラウスの淡い水色の瞳を見つめた。無機質な硝子玉（ガラス）のような瞳だ。

その表情には何の感情も浮かんでおらず、マナの色合いからも何も読み取れない。

――試されているような気がした。

「……人によっては光栄に感じられるのかもしれませんが、私にはありがた迷惑です」

悔しくて腹立たしくてエステルはクラウスから目を逸らした。

クラウスもアークレインも、ここにいる人は誰もエステルの気持ちをわかってくれない。

エステルにとってこの異能は、目覚めて以来余計なストレスをもたらすものだった。だからそんな能力を求められてもちっとも嬉しくない。求婚されるのなら一人の女として望まれたかった。

ライルとの婚約が成立した時は、元々気心が知れていた事もあって、政略だけではない相手からの好意が十分に感じられた。その十分の一でもいい。アークレインからの想いがあったらこんなに辛い気持ちにはならなかっただろうに。

エステルはアークレインに惹かれている。だからこそそんな自分が空しかった。

あの人はエステルの異能が必要なだけ。エステルに優しくするのも、理想的な求婚者として振舞うのも、異能を手に入れる手段に過ぎないのに、なまじ顔がいいから性質が悪い。

「……殿下があなたを利用するように、あなたも殿下を利用すればいいのではありませんか？」

「利用……？」

「エステル嬢は前の婚約者をポートリエ男爵令嬢に奪われましたよね？　その事で、社交界でも色々と言われたのでは？」

言われた。それだけではない。ポートリエ男爵令嬢からは結婚式の招待状まで送られてきた。思い出すと腹が立ってくる。

「……この事はまだ伝えるまいと思っていましたが、殿下があなたを気にかけている事を『ザ・ソラリス』が嗅ぎ付けました」

『ザ・ソラリス』は、この国で一番発行部数の多い大衆紙だ。過激な紙面が特徴で、貴族や女優など著名人のスキャンダルがあればしつこく食らいついて、ある事ない事含めて派手な報道をする事で知られている。

粘着質な取材に捏造報道、なんでもござれの記事で低俗と見下される大衆紙だが、世論への影響力は馬鹿にできない。

「記事にされそうなんですか？」

「連中の嗅覚はハイエナ並みです。狙撃はあの時舞踏会に参加していた大勢の貴族に見られていましたし、殿下も隠す気なんてないご様子でここに通ってきてましたからね」

「まさかわざと……」

「私は一応もっと隠すようにとは進言したんですけどね。騒がれた方が国王陛下の許可を得るのに有利だとお考えになったんでしょう」

エステルは絶句した。思っていたよりもアークレインは計算高い腹黒野郎だ。

「リークまではさすがになさっていないと思いますよ」

フォローになっていない。

「既にあなたの個人情報は、誕生日から学歴、ライル・ウィンティアとの婚約破棄、殿下を庇って消えない傷が腕に残った事も含めて世の中に出回っています。そろそろ大々的に記事が出るんじゃないでしょうか」

　エステルはくらりと目眩を覚えた。

「お兄様は今どうしてるんですか？　記者がうちのタウンハウスに詰め掛けているのでは……？」

「既にホテルに移動していただきました。あなたが心配されるような事にはなっていません」

　クラウスの言葉に少しだけほっとした。

「国王陛下の許可が出るにせよ出ないにせよ、殿下はあなたを傍に置こうとなさるでしょう。こうなった以上、あなたも殿下を利用してやるくらいの気概をお持ちになった方がいいです。社交界に出れば口さがない者に色々と言われますよ。例えば、腕の傷痕を盾に殿下に結婚を迫ったとか」

「もしかして、励まして下さっているんですか？」

「違います」

　即答で否定された。

「あまりに辛気臭い顔が視界に入ってくるので目障りだっただけです。夜中に泣き声が聞こえた時には幽霊かと思いました。うちをホラーハウスにしないで下さい」

　クラウスはちらりとエステルを一瞥（いちべつ）すると、「言いたい事は全部言いました」と告げて踵（きびす）を返し去って行った。

◆
◆
◆

エステルの体調が思わしくないという理由で、今日の家庭教師の講義は休みになった。

クラウスと別れて部屋に戻ったエステルは、メイにお願いして、ここ最近の大衆紙(タブロイド)を持ってきてもらう事にした。

——アークレイン殿下に恋の予感？　舞踏会での運命の出会い
——お相手はエステル・フローゼス伯爵令嬢！
——エステル嬢が獅子宮へ　婚約まで秒読みか？
——アークレイン殿下と衣装を合わせていたエステル嬢

エステルは、自分について書かれた大衆紙の記事を前に頭を抱えた。

『ザ・ソラリス』の記事を皮切りに、複数の大衆紙がエステルの個人情報を赤裸々に暴き立てている。元婚約者のライルやライルを奪い取ったディアナ・ポートリエの事も書かれていた。

エステルはディアナと直接の面識はない。それなのにライルを巡るキャットファイトを捏造している紙面もある。

「大衆紙なんていい加減なんですから、あんまりお気になさらない方がいいですよ」

メイはそう言って、エステルが手にしている『ザ・ソラリス』に冷ややかな眼差しを向けた。

「そんな事より着替えましょう。気分転換にはお洒落が一番です。今日は午後からシリウス様がこちらに来られるそうですよ」

「お兄様が？」

「はい。色々と記事が出た事で心配されたみたいです」

「お兄様なら適当でいいわよ」

「駄目です。お嬢様を飾るのは私にとっても楽しいですから」

メイはフローゼス伯爵家でエステルの侍女（レディースメイド）を務めていたリアに匹敵するくらいセンスがいい。特に髪を結う腕前はかなりのもので、アークレインの元では技術を発揮する機会がなくて歯がゆい思いをしていたようだ。

「よろしくね」

エステルは軽く肩をすくめると、衣装もメイクも全面的に任せる事にした。

◆◆◆

午後になってエステルの元にやってきたシリウスは、いつも通り元気そうだった。

「いやぁ参ったよ。記事が出てからタウンハウスの周りに常に記者が張っててさ。殿下がこちらの事を気遣ってホテルを手配してくださらなかったらどうなってたか」

「二月半ばくらいまではいつも通りこちらで過ごすのよね？」

シリウスが首都に出てきたのは、社交だけでなく議会に出席するためでもあった。世襲貴族の当主は貴族院の議員でもある。

基本的に議会の会期は前年の十二月から四月までとなるのだが、フローゼス伯爵領の場合、領主は晩冬から春先にかけては竜伐の指揮を執らなければいけないので、会期途中の帰還と通信魔導具での議会参加が特例で認められている。

「後二か月以上あるけど大丈夫なの？　かなりの費用がかかるんじゃ……」

「安心しろ、殿下持ちだ。凄いんだぞ。『アルビオンガーデン』のスイートルームを手配してくださったんだ」

エステルは呆気に取られた。『アルビオンガーデン』は首都でも一、二を争う格式のホテルである。

「私が泊まりたいわ……」

「ロージェル侯爵邸も待遇という意味じゃあんまり変わらないだろ……とんでもない人を射止めたなぁ、妹よ。お兄様の所にもたくさんの招待状やら色んなお嬢様の姿絵やらが送られてきてちょっと大変だよ」

そう告げたシリウスは、少しだけ疲れた表情を見せた。

「いい人がフローゼスにお嫁に来てくださるといいですね」

自分の知らない間に外堀がアークレインによって埋められていく。そんな気がしてエステルはこっそりとため息をついた。

三章　移動遊園地

「今日はこの服をお召しになって下さい」

獅子宮を訪問してから初めて迎える日曜日の朝、メイから渡されたのは、労働者階級の女性が着るような衣装だった。新品ではなく少しくたびれているあたり、女中(メイド)のものを借りてきたのだろうか。

「どうしてこんな服を着るの？」

「クラウス様が少しは息抜きが必要だろうと。変装しないと記者がお邸(やしき)の周りを張っていますから」

エステルは目を見張った。冷たくていつも無表情なクラウスが、エステルを気遣うなんて。

(意外に優しい方なのかしら)

「クラウス様は誤解されやすいんですよ。私個人の意見ですが、アークレイン殿下よりクラウス様の方が真っ直ぐでわかりやすい人だと思っています」

メイは目を細めると、エステルの髪をルーズな三つ編みにし、わざと野暮(やぼ)ったく見えるような化粧を施した。元が地味な顔立ちなのもあって、身支度を終えるとどこにでもいそうな町娘に変貌する。

「さて、今日は裏口から出ますよ。お出かけのコンセプトは『女中の休日』です」

得意気なメイの姿に、エステルの気持ちも上向いてきた。今まで人目を気にして出かける必要なんてなかったので、庶民的な格好をするのは初めてである。

「お出かけはメイも一緒？」

メイも今日は使用人のお仕着せではなく、エステルと似たような格好をしているので尋ねてみると、即座に否定された。

「私も行きますが、今日は護衛としてこっそりついて行く予定です。エスコート役は他の方ですよ」

メイは静かな微笑みを浮かべてそう言うと、エステルに裏口へと向かうよう促した。


裏口に着いたエステルは、そこで待っていたエスコート役の姿にギョッと目を見開いた。

「殿下!?　どうして……」

「今日のお出かけのエスコート役は私だからだよ」

悪戯が成功した子供のような顔をしたアークレインは、エステルと同じく庶民の格好をしていた。

しかしエステルと違って、顔立ちが整いすぎているため全く似合っていない。きらきらしい金髪とロイヤルブルーの瞳もあいまって、どこからどう見ても高貴な人がわざと庶民の格好をしているという雰囲気である。

「殿下……変装が変装になってない気がします」

「大丈夫だよ。これがあるから」

アークレインはエステルに腕を見せてきた。そこには細かな文様が刻まれた腕輪がはまっている。

「これは王家に伝わる古代遺物（アーティファクト）なんだ。これにこうマナを流すと……」

古代遺物とは、今では失われた古代の魔導技術によって造られた特別な魔導具である。様々な種類が確認されているが、滅多に市場には出回らない。王家は歴代の国王が蒐集した様々な古代遺物を所蔵している事で有名だった。

　じっと観察していると、アークレインの体からマナが腕輪に流れるのが見えた。その直後、アークレインの髪と瞳がどちらも茶色へと変化する。

「どうかな？　これで結構違うと思うんだけど」

　整った顔はそのままだが、確かに高貴な雰囲気は控えめになった。人間、髪と瞳の色が変わるだけで随分と印象が変わるものである。更にハンチング帽を目深に被れば、ぱっと見で見破られる事はまずなさそうだ。

「君はそのままでも大丈夫そうだね。女性というのは化粧で随分と印象が変わる」

　アークレインは、メイによって変装メイクが施されたエステルの顔をしげしげと見つめた。

「殿下と私、二人でお出かけするんですか？」

「そうだよ。エステルの息抜きを兼ねて、親睦を深めようと思ってね」

（殿下と一緒では息抜きにならないような……）

　エステルは思わず心の中で反論した。

「いいんですか？　暗殺者に狙われているのに」

「護衛は付けていくよ。付かず離れずの距離で警護してくれる予定」

「また前のように狙撃されたら護衛なんて意味無いのでは……」

「君という警報装置も一緒だしきっと大丈夫。私もたまには街に出て息抜きしないとね」

「大丈夫ですよエステル様、殿下はそもそも大抵の物理攻撃は効かな――」

「黙れ」

口を挟んできたのはアークレインの隣にいた護衛官だった。しかし発言の途中でアークレインが睨んで黙らせる。

「……どういう事ですか？」

今、聞き捨てならない事を聞いたような気がする。

「なんでもないよ。さあ、早く行こう。遊ぶ時間が減ってしまう」

「教えてください、殿下」

じっと見つめると、アークレインはバツが悪そうな表情をした。

「王族の『覚醒者』は異能とマナのコントロール方法を覚醒と同時に叩き込まれるんだ。その結果付加能力に目覚める者が稀にいて……」

「対外的には伏せられていますが殿下の体の頑丈さは化け物です。真剣で斬り付けても斬れません」

説明を受け継いだのは、先程アークレインに睨まれた王室護衛官だった。素朴な雰囲気の青年である。制服ではなく庶民の格好をしているのに王室護衛官とわかるのは、何度かアークレインに付き従っている姿を見かけているからだ。

「化け物、ねえ……ニール、お前、私の事をそんなふうに思ってたんだね……」

微笑みながらも目が笑っていないアークレインの言葉に、ニールは気まずげに目を逸らすと距離を取った。

「私の場合、常にマナによる障壁が体の表面に展開されているような状態なんだ。だから物理的に攻撃されても割と平気というか……剣で斬り付けられると鉄の棒で殴られるようなものだから普通に痛いんだけど……」

「……それってもしかして、舞踏会の時、私があなたを庇う必要はなかったという事ですか？」

体がわなわなと震えた。アークレインを庇ったせいでこちらは大怪我をし、左腕に消えない傷までできたというのに。

「あの威力のハンドガンなら多分大丈夫だった……かな……？」

「……最低」

エステルは吐き捨てた。どうして自分はあの時アークレインを庇ってしまったのだろう。過去に戻れるものなら戻りたい。

「本当は私の異能なんて殿下には必要ないのではありませんか？」

「そんな事はないよ。マナの壁は無敵じゃない。竜伐銃だとさすがに命の危険を感じる」

竜伐銃とは竜を狩るための魔導銃である。竜の硬い皮革を撃ち抜くために開発された極めて高威力な銃で、普通の人間が竜伐銃で頭を撃たれると、首から上が消滅すると言われている。

「ごめん、怒ったよね。でも、君に庇ってもらった事自体私は感謝してるんだ。君という得難い能力を持つ女性にも出会えたからね。怪我をさせてしまった事は申し訳なく思っている」

「…………」

こうなったらこちらもこの男を利用してやる。クラウスに勧められたように。

エステルは決意すると、目を閉じて深呼吸した。

「エステル……」

「……怒っていません。お気遣い頂き恐縮です」

荒れ狂う内心を押さえつけ、じっとアークレインを見返すと、アークレインのマナの色合いがたじろいだように揺らいだ。

「早く参りましょう、殿下。折角久しぶりに外に出るんですから色々な所に行きたいです」

エステルはにっこりと社交用の微笑みをアークレインに向ける。

「……そうだね、行こうか」

アークレインは気を取り直したように微笑み、エステルに向かって手を差し出した。

◆
◆
◆

ロージェル侯爵家のタウンハウスから市街地まではかなりの距離があるため、使用人が使う荷馬車で出かける事になった。御者はアークレインが務めてくれるので、エステルはその隣に座る。

荷馬車は人が乗るようには設計されていないため、振動が直接伝わってきてお尻が痛い。

「市街地では僕の事はレンと呼んでほしい。間違っても殿下とは呼ばないように」

「はい」

街に向かう道すがら、アークレインから釘を刺されてエステルは頷いた。

「エステルの事は、そうだな……アスターにしよう」

「そのままですね」

エステルの綴りは現代ローザリア語風に発音するとアスターになる。安直な偽名に思わず突っ込むと、アークレインは得意気な表情をエステルに向けた。

「こういうのはあまり本名からかけ離れない方がいいんだ。咄嗟の時に反応できないと、明らかに偽名だってバレちゃうからね」

この王子様はたまにこういう子供っぽい仕草を見せる。

「どこに行くのかはもう決めていらっしゃるんですか？」

「中央公園に行くつもりだけど……その言葉遣い、もう少し砕けたものにできないかな？　シリウス殿と喋る時みたいに」

「……努力しま……するわ」

エステルが言い直すとアークレインはくくっと笑った。今日の彼はマナを見る限り、かなり機嫌が良さそうだ。

「殿下……じゃなくて、レン、手馴れていませんか？」

「変装して街に出るのはこれが初めてではないね」

アークレインは言葉を濁したが、一人称も『私』から『僕』に変わっているし、常習犯の雰囲気がある。

「あの、兄の事なんですが、ホテルを手配して下さってありがとうございます」

「未来の義兄のためだからね。アスターが気にする事じゃない。ロージェル侯爵邸に滞在してもらっても良かったんだけど、ホテルの方が気楽かなと思ってね」

「私もホテルの方が良かったです……」

「君は駄目。ホテルでは警備が心もとない」

「兄ならいいんですか？」

「彼と君では重要性が違う。ホテルに泊まりたいのならいずれ連れて行ってあげるから今は我慢してほしい」

「連れて行って下さるんですか？」

「アスターが身も心も僕のものになるのなら」

「なっ……！」

流し目を向けられて、顔がかあっと紅潮した。

「一緒に外泊するんだ。相応の事があると期待するよ？　僕も男だからね」

クスクスと笑い出すところを見ると、間違いなくいつもの意地悪だ。

「それにしても、なかなか敬語が抜けないね」

「……申し訳ありません。私とレンの元の立場を考えると難しくて……」

「いいよ。付き合いたてだって考えたら、敬語でもそう違和感はないだろうから」

そんな会話を交わしているうちに、馬車は市街地に入っていく。久々の首都のメインストリートの様子に、エステルは目を輝かせた。

あらかじめ話を通してあったロージェル侯爵家御用達の商店に荷馬車を預け、そこからは徒歩で公園に向かう計画だ。

「ここから少し歩くけど大丈夫？」

「はい。中央公園までですよね？　今日は歩きやすい靴を履いているので大丈夫です」

エステルは貴族のお嬢様だ。嫌な顔をされるかもしれないと思った質問に平然と答えを返してきたので、アークレインは口元を緩める。

今のところアークレインはエステル・フローゼスの事を気に入っている。自分の妃にするには少し心もとないが、そこは今後の教育で補っていけばいい。

エステルは女子教育の名門、エジュレナ女学院の卒業生だ。貴族の娘としての基礎的な知識や立ち居振る舞いはしっかりと身に付いているし、近隣三か国の言語も日常会話レベルならば使える。

不足しているのは主に地理と歴史、そして主要な貴族についての知識だ。語学に関しても更なる語彙力の向上と発音の矯正が必要だと報告を受けているが、そこはゆっくり身に付けていってもらえばいい。授業態度は真面目で向上心もある女性だから時間が解決してくれるはずだ。

彼女は正直なところ思わぬ拾い物だった。あの日舞踏会でダンスに誘ったのは、こちら側に付くと表明したフローゼス伯爵の心象を良くするために過ぎなかった。

フローゼス伯爵家は代々堅実な領地経営を行ってきた家柄だ。中央への野心がなく、政界への影響力も微々たるものだが、ずっと日和見をしていた北部貴族の一人がアークレインの元にやって来たのだ、歓迎する姿勢を見せておいて損は無いという計算だった。

その代わりウィンティア伯爵家がリーディスについたが、フローゼス伯爵家の方が魔導石の鉱脈を持つ分、旨みがある。

オリヴィアに代わる王子妃の資質を備えた女性を探していたアークレインにとって、『覚醒者』という能力を持つエステルの登場は都合が良かった。

エステルを傍に置く事はアークレインの中では既に決定事項だ。正式な配偶者として迎えられるかは父王の判断になるが、十中八九、承認は下りるだろうと踏んでいる。……というか、そうでないと困る。アークレインはオリヴィアの事が嫌いな訳ではなかったが、共にいるとしっくりと来ない感覚があった。

恐らく王子妃になって当然、そんな傲慢な雰囲気が時折見られたのが原因だ。見目、能力、家柄、全て申し分なかったが、人生のパートナーにするとなると素直に頷けない自分がいた。

性格という点では、王子妃という地位を恐れ、嫌そうな顔をして逃げようとするエステルの方が余程好ましい。逃げられると追いかけたくなるのは男という生き物の性だ。追い回して追い詰めてアークレインの作った檻の中に閉じ込めてやりたくなる。

異母弟と王妃、そしてその背後にいる外戚のマールヴィック公爵を牽制するという意味では、自分の派閥の重鎮であるレインズワース侯爵家と結びつく方がいいのはわかっている。北に引き篭もり中央に出てこないフローゼス伯爵家では基盤が弱い。

だが、そもそもアークレインは王位を望んでいない。かと言って、仮にリーディスが王位に就いた時に、幽閉されたり投獄されるのは嫌だ。アークレインとしては生活のレベルは落とさず悠々自適に天寿をまっとうしたい。

王になれなかった場合は、王家直轄領のどこかを貰ってのんびりと領主ができれば理想だ。罪に問われて始末されるようなら、隣国か新大陸に亡命するつもりでこっそりと準備も進めている。

アークレインがその着地点を目指す上で、エステルの異能はきっと役に立つ。本人が『覚醒者』である事を公表するのを恐れているのもアークレインにとって都合が良かった。アークレインが常にマナの壁を纏っている事を秘密にしているように、切り札は隠しておくに限る。エステルは、チェスの駒に例えれば女王(クイーン)になり得る存在だとアークレインは評価していた。

そんな彼女を手駒にするために一番良い方法は恋愛感情で縛り付ける事だろう。

アークレインは今までに異性を好きになった事がない。だから理解はできないが、周囲の人間を見ていると、恋愛感情というものは、人に尽くす最大の動機になるものらしい。

アークレインは自分の容姿や王子という背景が持つ魅力を自覚している。全力でそれらを利用すれば、他の女性達のように彼女も落とせるはずだ。そのためなら体も資金も、自分の持てる全てを使うつもりである。

そんなアークレインにとって、周囲にいる人間は全員が駒だ。使える駒なら手元に置くし、使えない駒は容赦なく切り捨てる。そんなふうに他者を分類する自分は、きっと人としては欠陥品に分類されるだろう。

一つ不安があるとすれば、彼女の異能がアークレインの邪な感情を暴かないかという事だ。

大まかな感情しかわからないと言っていたから恐らくは大丈夫なはずだ。今のところアークレインはこの遊戯を楽しんでいる。

問題は将来、アークレインがエステルに飽き、嫌悪感を抱くようになった時だ。王子妃という立場がエステルを変えないとは限らないし、人の心は移ろうものだ。未来の事は誰にもわからない。

かつてのトルテリーゼ王妃は、赤薔薇に例えられる華やかな外見とは裏腹に控えめな女性で、嫁いできた当初はアークレインに優しかった。しかしその態度は父の寵愛を受けた後がらりと変わり、幼かったアークレインの心をいたく傷つけた。

もしアークレインがエステルに負の感情を抱くようになった時、彼女がアークレインの害になる行動に出ては困る。そうさせないためにも恋愛感情に加えて有効な何かで更に縛らなくては。

彼女を捕獲する上で何が有効だろう。子供を産ませる事だろうか。

いや、それだけでは弱い。

シリウスにこちらに有利な縁談を用意して、まずはフローゼス伯爵家をアークレインに逆らえないようにしておいた方がいいだろう。

自分が自己中心的で汚らわしい存在である事をアークレインは自覚している。しかし計算高くならなければ王宮では生きて来られなかった。だから自分がこうなのは仕方がないのだ。

アークレインは、自分に言い訳をすると隣を歩くエステルの横顔をこっそりと盗み見た。

人が行き交う大通りの様子を楽しげに眺める彼女を見て、アークレインの中に罪悪感が湧き上がる。

　これから二人で向かう予定の中央公園は、首都のメインストリートであるこの通り沿いにあるのでもう少しで到着するはずだ。

　突如、エステルの目が大きく見開かれた。視線の先を追うと公園の木々の隙間からテントの屋根が覗いているのが見えた。テントの周囲には色とりどりの旗や魔導ランプが飾り付けられ、楽しげに風に揺れている。

「移動遊園地……？　そうか、もうそんな時期なんですね」

　ニューイヤーの祝祭を控えた年の瀬のこの時期、首都には多くの人が集まる。そこを狙って中央公園では例年、移動遊園地の興行がある。

　目玉は回転木馬と木製コースターだ。また、随行する大道芸人達が様々なパフォーマンスを行い、テントの周りには様々な露店が立ち並ぶので、アルビオンの市民に大人気の娯楽となっていた。

「遊びに来た事は？」

「勿論(もちろん)ありますよ。学生の時は友人と毎年のように遊びに来ました。でん……じゃなくてレン、連れて来て下さってありがとうございます」

　エステルは嬉しそうだ。ここに連れてきて正解だった。

　外出を決めたのは、クラウスからエステルの様子がおかしいと報告を受けたからだ。アークレインが求婚したせいで環境が変わり、妃教育やら国王夫妻との会見やらが重なった事が心労になっているのだろう。

彼女を攻略する上でそれはよろしくない。この辺りで点数を稼いで好感度を少しでも上げておかなければ。アークレインはエステルに微笑みかけると、しっかりと手を繋ぎ直した。

◆◆◆

中央公園の中は雑多な人混みと活気に溢れていた。

ジャグリング、手品、軽業（かるわざ）に火吹き芸——大道芸人達によるパフォーマンスだけでなく、食べ物や雑貨を扱う露店なども立ち並び、ただ歩いているだけでも楽しい空間だ。

アークレインと一緒というのが少し気詰まりだが、折角の外出なので楽しまなければ損だ。エステルはきょろきょろと周囲を見回した。

「まずは何をする？　定番の回転木馬？」

「コースターも乗りたいです」

回転木馬も木製コースターも、魔導石の助けを借りて動く遊具だ。大掛かりな遊具を伴う移動遊園地の興行は、王家や貴族、大富豪の後援があってこそ成り立っている。

「並ぶ覚悟をしないとね」

アークレインの指摘通り、回転木馬も木製コースターも凄い行列になっていた。しかし、行列の傍では道化師が立って芸を披露し、客が待つ間退屈しないような工夫がされている。

木の枠組みで作られた高い坂状のレールを、トロッコに乗って一気に駆け下りる木製コースターは特に人気で、エステルも大好きだ。しかし二度、三度と乗るうちに、だんだんアークレインの顔色が悪くなってきた。

「もしかしてコースターは苦手ですか？」

「そうだね、どうも坂を猛スピードで下りるというのが駄目みたいだ」

「あら、では橇(そり)遊びはもしかしたら厳しいかもしれませんね」

橇遊びは豪雪地帯では定番の冬の遊びだ。

「フローゼス伯爵領に生まれていたらきっとコースターも平気だったよ」

言い返しながらもアークレインは口元を押さえた。かなり気持ち悪そうである。

「少しベンチで休みますか？」

「休むほどではないけど、コースターはもう勘弁してもらえないかな……」

げっそりとしているアークレインには申し訳ないが、普段取り澄ましている王子様の青ざめた姿にエステルは溜飲(りゅういん)が下がるのを感じた。意外な弱点を知って自分の中で妙な性癖が目覚めそうである。

「私が疲れたので休憩したいです。飲み物を買ってきますね」

「それなら一緒に行こう。寒いから温かいものがいいよね」

アークレインは力なく微笑むと、エステルの手を引き飲み物を扱う露店へと向かった。

飲み物を扱う露店で、アークレインはコーヒーを、エステルはホットチョコレートを注文した。
飲み終わるまで座って休憩した後、お互いに相談した結果、二人は露店を見て回る事にした。

「射的がある。アスター、ちょっとやってみない？　射撃の心得があるんだよね？」

「魔導銃とおもちゃの銃じゃ勝手が違いますよ」

そう答えつつも射的の景品を覗き込んだエステルは、目玉景品らしい熊のぬいぐるみに目を留めた。

「あれ、ルーディードールじゃないですか？」

ルーディードールというのは、ルーディー商会という有名なドールメーカーが作ったぬいぐるみの事である。

数多くある的の中心に設置されたそのぬいぐるみは、王冠とロイヤルブルーのマントを身につけていて、とても可愛らしかった。

「お目が高いね、お嬢さん。そいつはサーシェス陛下の在位二十五周年（シルバー・ジュビリー）を記念して作られた、二百体限定の貴重なルーディードールだよ」

どこか胡散（うさん）臭い髭（ひげ）面の店主が話しかけてきた。アークレインは興味深そうにぬいぐるみを覗き込む。

「へえ、プレミアものだね」

「どうだい兄ちゃん、挑戦するかい？」

「僕はあんまり射撃は得意じゃないんだ」

軽く肩をすくめるアークレインを後目に、エステルは挑戦料の銀貨を店主に差し出した。

「アスター、やってみるの？」

「はい。折角なので」

エステルは店主からおもちゃの銃を受け取った。コルクを撃ち出す銃は、魔導銃に比べると安っぽくて軽い。

「直接こいつに弾を当てられたら困るんでね。こいつを代わりに倒してくれるかい？」

店主はぬいぐるみを下げて、代わりとなる箱型の的を置いた。

「倒せばいいのね？」

「ああ。五発以内に倒せたらこいつはお嬢さんのもんだ」

店主が頷くのを確認し、エステルは銃を構えた。

一発目は大きく外れた。

（もうちょっと右かな）

照準を調整し、二発目。今度は左に逸れた。

「頑張れ嬢ちゃん。後三発あるぞ」

店主はニヤニヤしている。エステルは無視して三発目を撃った。

箱に当たった。しかし当たりどころが悪かったのか、箱はびくともしない。

「あー、惜しい！」

四発目。

今度は確実に的の中央に当てたのに、箱が動く気配すらなく、エステルは眉をひそめた。

「残念だったなぁ。でもまだ一発残ってるぜ」

「そうだね。アスター、次はきっと当たるよ」

アークレインがエステルの肩にポンと手を置いた。

何か細工があるのかもしれない。店主のニヤニヤ笑いに不信感が湧くが、こんな子供騙しのゲームに難癖をつけるのも大人気ない。

エステルは再び銃を構えると、よく狙いをつけて引き金を引いた。

その次の瞬間だった。

突然つむじ風が吹いて、周囲のものをなぎ倒した。

射的の露店も例外ではなく、棚の上の景品がバタバタと倒れる。周りの人から大きな悲鳴が上がる。

ふらついたエステルの体を、アークレインが支えてくれた。

「おかしいね。突風で他のは倒れたのに、どうしてルーディードールの的だけは倒れないんだろう」

（まさかイカサマ？）

微笑みながら店主に尋ねるアークレインに、エステルは目を見開いた。

「何か細工でもあるって言いてぇのか？」

髭の店主はアークレインを睨みつけた。

「僕は疑問を口に出しただけですよ」

店主にそう答えると、アークレインはエステルの手からおもちゃの銃を取り上げて店に返した。

「アスター、残念だったね、五発撃ち切ってしまったからもう行こう」

再びアークレインに手を引かれ、エステルは素直に露店を離れた。

「おい、ちょっと待てよ兄ちゃん！」

呼び止める店主のだみ声が聞こえてくるが、アークレインは構わず、露店から足早に離れる。エステルはその背中を追いかけながら問いかけた。

「異能を使いましたよね？」

風が吹く直前、アークレインからマナの揺らぎを感じた。それだけではない。あの突風にはマナが含まれていた。

「どうしてわかったの？」

「レンが念動力をお持ちなのは有名ですし、あの風にはマナが含まれていましたから」

「君の異能はそういう事もわかるんだ」

アークレインはふわりと笑うと、風で乱れたエステルの前髪に手を伸ばして整えてくれた。

「あの露店はずるい事をしていたからね。ちょっとした意趣返しだよ。あのルーディードール、もしかして凄く欲しかった？」

「いいえ」

こんな露店には似つかわしくない高級品だったから興味を惹かれただけだ。可愛いぬいぐるみだったが、ものすごく欲しかった訳では無い。

「なんだ。どうしても欲しいなら、同じものが父上の寝室に転がっているから貰ってこようと思ったのに」

「そんな畏れ多い物はいりません」

エステルはふるふると首を振った。

（それにしても、少し腹が立ったくらいで異能を使うだなんて……）

意外に子供っぽいところのある人だ。エステルはまじまじと取り澄ましたアークレインの顔を見つめた。

その時である。

「エステル……？」

声をかけられて振り返ったエステルは、表情を凍りつかせた。

そこにいたのは、漆黒の髪に紫の瞳の精悍な容貌の青年――元婚約者のライルだった。

「やっぱりエステルだ。どうしてそんな格好でここに？　変な新聞記事が出たから心配していたんだ。でも俺の立場じゃ直接君に会いに行く事なんてできなくて……」

ライルは真っ直ぐにエステルの方に向かってくる。

どうすればいいのか咄嗟に判断できず、硬直するエステルの前にアークレインが進み出た。

「人違いされているようですね、サー。彼女は僕の恋人です。エステルという名前でもありません」

「いや……でも君は……」

「何をなさっているの？　ライル」

ライルはなおも食い下がろうとしてくるが、更に後方からきつい印象の女性の声が聞こえてきた。

ディアナ・ポートリエだ。直接の面識はなくても顔は知っている。美しく着飾った彼女は、険しい眼差しをライルに向けていた。

「そちらは？　ライルのお知り合い？」

ディアナに尋ねられ、ライルはぐっと唇を噛んだ。

「失礼しました。俺の人違いだったようです」

小さな声でこちらに向かってそう告げるとライルは、踵を返してディアナの元へと向かった。

この時期の移動遊園地は、ローザリアのあちこちの地域から、その土地独自の食べ物や名産品を売る露店が集まってくるので、老若男女問わず様々な階級の人々が集まってくる。きっとライルとディアナも婚約者として休日のお出かけをしていたのだろう。

「アスター、僕達も行こう」

アークレインがエステルの手を摑み、反対方向へと導いてくれる。

「侮れないね、彼。変装していた君を見抜くなんて」

小声での呟きが何故か心に刺さった。

◆
◆
◆

エステルは、アークレインに促されるままに移動遊園地を出た。あの場所に居続けたら、またライルとディアナに出くわしてしまうかもしれない。

「今更何を君に聞きたいんだか……」

アークレインの呟きにエステルは小さく息をついた。

「心配してくれていたんだと思います。ライルはもう一人の兄のような存在だったので」

「つい強引に割り込んでしまったけれど、もしかしてアスターは彼と話したかった？」

尋ねられ、エステルは首を横に振る。

「いえ、何を話せばいいのかわかりませんから。レンが前に出てくれて助かりました」

「嫌でもいずれ社交界では顔を合わせる事になる。その時にどう対応するのかは考えておかないといけないね。アスターはどうしたい？」

アークレインに尋ねられ、エステルは考えた。ややあってから回答を出す。

「……ライルが嫌いで婚約破棄した訳ではないので、彼と少し話をするくらいはいいかなと思います。でも、ディアナ嬢とは正直顔も合わせたくありません」

「わかった。ではディアナ嬢の事は思いっきり見下してやればいいよ。僕も協力してあげる」

「とても心強いです」

アークレインの言葉に、ようやくエステルは強ばった表情を緩める事ができた。

「さあ、折角のお出かけなんだから最後は楽しい思い出を作ろう。少し離れているけれどおすすめのティールームがあるんだ。君がいつも行くような店よりも庶民的な所になるけど」

そう言ってアークレインはエステルを力付けるように優しく微笑んだ。

「私、高級な所にはあまり行きませんよ？　だからたぶん大丈夫です」

「じゃあ行こうか」

アークレインに手を引かれるまま、エステルは再び歩き始めた。

◆◆◆

久々の外出が終わるのはあっという間だった。

出発した時と同じように、荷馬車でロージェル侯爵邸の裏口に戻ると、既に時刻は五時を回っていて辺りは薄暗くなっていた。本格的な冬が近付いているので最近は日が落ちるのがとても早くなっている。

「エステル、お疲れ様」

「はい。連れ出して下さってありがとうございました」

「少しケチがついてしまったけど、私はとても楽しかったよ。君もそう思ってくれてたらいいんだけど」

「私も楽しかったです」

最後に訪れたティールームは美味しい店だったので、ライルに出くわした時の複雑な気持ちは上手く紛れたと思う。エステルはアークレインに心からの感謝を伝えた。

「なら、ご褒美をもらってもいい？」

エステルの手を取り、荷馬車から降りるのを手助けしながら、アークレインは耳元で囁いてきた。

「ご褒美……？」

眉をひそめると、アークレインは顔を至近距離に寄せてくる。

キスされる……！

そう思って身構えると、鼻を摘まれた。

「引っかかった。君は実にからかいがいがある」

「なっ……！」

くすくすと笑われ、かあっと頭に血が上る。

「いつまでも外にいたら体が冷えてしまう。早く邸に入ろう」

半笑いのアークレインに手を引かれ、エステルは愕然(がくぜん)とする。

(何て意地悪な人なの……！)

エステルは怒りに打ち震えた。

◆
◆
◆

邸に入り、アークレインと別れたエステルは、遅れて裏口にやって来たメイと一緒に廊下を歩く。

しかし、なかなか腹の虫が治まらない。

アークレインという人物は摑みどころがなくて何を考えているのかわからない。優しくて紳士的かと思ったら時々酷く意地悪で、エステルを翻弄して楽しんでいる節がある。

マナの動きを見る限り、エステルを気に入ってくれているのは確かだ。光栄だと思う一方で、警報装置として使えて、遊びがいのあるおもちゃだと思われているのが悲しい。彼はエステルを尊重はしてくれるけれど、それだけで、それ以上のものはきっとくれない。

（やだ、何考えてるの、私……）

エステルは、アークレインに尊重以上のものを求める自分に気が付いて愕然とした。どうやら自分はいつの間にか、あの王子様に魅了されていたらしい。

（だめ）

エステルは即座に自分の気持ちを否定した。

アークレインは一見すると人当たりがよく見えるが、それだけの人物ではない。穏やかな微笑みを浮かべてはいても、その裏では常に損得を冷静に計算し、自分にとって有利になるように立ち回っている。誰に対しても基本的に同じ態度で、そこからはおよそ人らしい情とか親愛の類は感じられない。

好きになっても同じ気持ちを返してくれそうもない相手に惹かれるなんて馬鹿みたいだ。

ぐるぐると考えるうちに自室に着いた。ドアをメイが開けてくれる。

部屋の中に入ったエステルは、出発前には無かったトルソーが設置されているのを見て大きく目を見開いた。

「何、この服……」

トルソーには紺色のローブ・デコルテが飾られていた。ローブ・デコルテは女性の第一礼装とされているドレスだ。

生地は光沢のあるシルクタフタ。金糸で薔薇の刺繍が施され、ビーズが星のようにちりばめられている。袖は長めで、左腕の傷が上手く隠れるようなデザインになっていた。

「エステル様が外出されている間に届いたみたいですね。殿下からの贈り物です。いずれ必要になるだろうからと仰っていました」

「…………」

メイの発言にエステルは目眩を覚えた。

青系統の生地に、ローザリア王家の象徴である薔薇が金の糸で刺繍されたドレスなど身に着けたら、誰だってアークレインを連想する。彼の髪の毛は蜂蜜色の金髪だ。ドレスの色が紺なのは、瞳の色と同じロイヤルブルーが禁色だからに違いない。

「よくサイズがわかったわね。こちらに来てから採寸した覚えなんてないのに……」

「フローゼス伯爵家に問い合わせ致しました。だからサイズは大丈夫なはずですよ」

「…………」

沈黙したエステルをよそに、メイはにこにこと続ける。

「良かったら試着してみられます？　でもその前に軽く入浴しましょうか」

「……殿下は今どちらに？」

「殿下も着替えをされているはずですよ。今日はこちらで晩餐を摂ってから宮殿にお戻りになる予定です」

淡々と説明するメイに頭がくらりとした。

元々アークレインの側仕えだったというだけあって、メイはなかなかに曲者だ。常に澄ました表情で、体内のマナもほとんど感情の揺らぎを見せない。だからこそ世話係として受け入れられたのだが、彼女が時々人形のように見える時がある。

「これくらいで驚かれては後が大変ですよ。明日はドレスメーカーが来る予定になっています。このドレスの微修正をしなくてはいけないですし、今後たくさんドレスが必要になるはずですから」

呆気に取られるエステルに、メイは穏やかに微笑みかける。

「それが第一王子殿下に求婚されるという事です。貰えるものは貰っておけばよろしいかと」

(殿下を利用するって決めたのに……)

綺麗なドレスを贈られるのは嬉しい。好きだと自覚した人からの贈り物なので尚更である。

しかし散財を目の当たりにすると心が痛む。それは恐らく、フローゼス伯爵家があまり裕福とは言えなかったからだ。

今までは、ドレスを新調する時はなるべくオーソドックスな形のものを発注し、リメイクをして着回したり、下取りに出して新たなものを作ったりと、工夫してやりくりをしてきた。

エステルは複雑な気持ちでアークレインから贈られたドレスを見つめた。

◆　◆　◆

王族の住居であるアルビオン宮殿は、十二の建物で構成され、それぞれに黄道十二星座にちなんだ名前がつけられている。アークレインはそのうちの一つ、天秤宮を第一王子宮としてサーシェス王から賜っていた。

その天秤宮の執務室に出仕したクラウス・ロージェルは、朝一番で押し掛けてきたレインズワース侯爵と対峙するアークレインを目の前にこっそりとため息をついた。

レインズワース侯爵の手の中には、『ザ・ソラリス』が握られている。その一面には、アークレインがエステル・フローゼスと一緒に獅子宮を訪問した事が写真付きで報じられていた。

「この記事はなんなのでしょうか、殿下！　先日『ソラリス』に記事が出た時は、単なるゴシップだと仰っていましたよね？」

レインズワース侯爵の顔は怒りのせいか赤く染まっている。彼は娘のオリヴィアを王子妃にねじ込もうと必死だったから無理もない。

「前回記事が出た時には特別な感情は無かったんだけどね。見舞いに行くうちに彼女に惹かれていったんだ。だから噂は嘘ではないよ」

悪びれる様子も無く言い切ったアークレインは自分の主君ながら性格が悪い。クラウスは生まれながらにアークレインの側近になる事が決まっていた人間だ。長い付き合いの中で、自分も人の事は言えないが、アークレインが合理的で情の薄い人物なのを知っていた。

アークレインにとって、これまではオリヴィア・レインズワースが王子妃として迎える上で最適の駒だった。しかし『覚醒者』であるエステル・フローゼスが現れて最適は変わってしまった。オリヴィアには可哀想だが、誰にも存在を知られていない『覚醒者』がアークレインの手駒になるというのは、クラウスも悪くないと思っている。しかも彼女の異能はマナを感知するという珍しい能力で、人の抱く感情の方向性をも暴くというおまけ付きだ。彼女を傍に置けば、暗殺者や悪意を持って近付いてくる人間をあらかじめ察知しておける。

「オリヴィア嬢には申し訳ないけれど、私はエステルを妃にしたいと思っている。彼女の事を愛してしまったんだ」

「政治的な事を考えれば我が娘が最適と自負しておりましたが……恋に狂い利を捨てると仰るのですか!?」

「その言葉はそっくりそのままお返しするよ。トールメイラー・レインズワース」

アークレインのロイヤルブルーの瞳が冷たく底光りした。レインズワース侯爵はぐっと押し黙る。

かつてレインズワース侯爵はクラウスの母シエラと婚約していたが、後にオリヴィアの母となるアデラインと恋に落ちてシエラとの婚約を解消したという過去がある。隣国フランシールからの亡命貴族(エミグレ)だったアデラインとレインズワース侯爵の恋は、当時の社交界では結構な騒ぎになったと聞いている。

プライドを傷つけられたシエラはいまだにこの夫婦を恨んでいる。エステルに肩入れするのはそのためだろう。レインズワース侯爵は、事態の収拾に手を貸したロージェル侯爵家に大きな借りを作った。第一王子派に所属しているのも、ロージェル侯爵家への負い目があるためだ。

「恋とは厄介だね。今の私は彼女の事以外は考えられないんだ。侯爵もそうだったんだね」

アークレインはそう言って蕩(とろ)けるような笑みを浮かべた。その表情には、男でも思わず見惚れてしまうような破壊力があった。

アークレインは大した役者だ。半ば呆れながらクラウスはアークレインがレインズワース侯爵にのろける様子を観察した。

「殿下！　殿下はこの選択をいずれ後悔する事になりますよ！」

「そんな事は承知の上だ。レインズワース侯爵、あなたが離反したとしても私は後悔しない」

レインズワース侯爵の顔は怒りで真っ赤だ。

（やれやれ、これは長引きそうだ）

クラウスはこっそりと嘆息した。

（まぁ、どうせ邸には帰れないから構わないか）

クラウスは現在天秤宮に泊まり込み、ほぼ自分の邸に戻っていないが、これはアークレインの指示によるものだった。エステルをロージェル侯爵邸で匿(かくま)う事にしたので、外野に妙な邪推をさせないための布石である。

（一体いつ帰れるんだろう）

クラウスは何度目になるかわからないため息をついた。この案件で一番割を食ったのは間違いなくクラウスである。それでも彼がアークレインに従うのは、それが初恋の人の願いだったからだ。

彼女への不毛な思いは今もなお、クラウスの心を捉え続けていた。

四章　婚約発表

エステルの姿は、ロージェル侯爵邸の地下射撃場にあった。

貴族の邸の地下は、大抵倉庫や住み込みの使用人が寝泊まりする部屋になっているものだが、広々としたロージェル侯爵邸はそれに加えて射撃の練習場を備えていた。それも魔導銃の練習ができるよう、結界の魔導具が埋め込まれたかなり本格的な練習場である。

エステルがここに来ている理由は一つ、もやもやとした気持ちから逃れるためだった。

移動遊園地に行ってから今日で一週間だ。その間に、ドレスメーカーやら宝飾品店やら、様々な商会のオーナーがやって来て、服飾品や装身具をアークレインからの贈り物という形で新調する事になった。

アークレインの定期的な訪問も続いていて、エステルの気持ちなどそっちのけでどんどん色々な話が進んでいく。一番エステルを追い詰めたのは、ドレスに似合う宝飾品を三セットも購入された事だ。

贅沢には慣れていないから心苦しくなるのに、アークレインを目の前にすると何も言えなくなって流されてしまう。エステルは鬱々とする気持ちを振り払うために頭を軽く振ると、的を射出する魔導具にマナを流し、銃を構えた。

射撃は元々、必要に迫られて身に付けた技術だった。

フローゼス伯爵領は飛竜の生息地が近く、時折人里が襲われる。飛竜を駆除するには、竜伐銃と呼ばれる高射程・高威力に調整した魔導銃が必要になるのだが、この銃はマナを多く保有している者にしか扱えない。

竜の駆除は基本的に領主の仕事だが、領主不在などの緊急時には男女問わず竜伐銃が扱える者が対処しなければならない。エステルはその条件を満たしていたので、子供の頃から射撃を仕込まれた。無心で的を狙う射撃はエステルの性に合っており、今では実益を兼ねた趣味になっていた。

（……誰か来た）

魔導銃は火薬式の銃に比べると射撃音は控えめだが、練習中は鼓膜を保護するためのヘッドギアが必要だ。

エステルが背後に立つ人物の存在に気付いたのは、異能でマナを感知したからだった。

不規則に飛んでくる円盤型の的は、一度マナを流して起動させると十枚連続で出てくる仕組みになっている。その十枚を撃ち切ってからエステルは後ろを振り返った。

そこに立っていたのは公務帰りらしく、装飾の多いフロックコートを身に着けたアークレインだった。エステルはヘッドギアを外してから話しかける。

「またこちらにいらしたんですか？」

「私は君に溺れている設定だからね」

アークレインはいつものように穏やかに微笑んだ。マナが明るく輝いているところを見ると、今日は機嫌がいいようだ。

「いい腕だね。ほぼ百発百中だ」

「お褒めに預かり光栄です」

「もしかして竜を撃った事がある？」

「……一度だけ。仕留めたのは私ではなくうちに仕える銃士でしたけど」

竜の被害に悩まされる地域は、竜伐銃の使い手を私兵として召し抱える事が許されている。

エステルが飛竜と対峙したのは一年前だ。シリウスが竜伐——定期的に行われている竜の討伐——のため、不在にしていた時に領内に竜が飛来し、対応できる者が他にいなかったから、エステルが予備役の銃士達を率いて赴くしかなかった。

「できれば二度目はない事を祈っています。とても怖かったので」

飛竜の飛行速度は魔導機関車を超える。竜伐銃の有効射程ギリギリから狙撃しても決して安心はできない。仕留め損なって襲われたら終わりだ。エステルはその時の恐怖を思い出しながら手の中の魔導銃を握りしめた。

「二度目はないよ。だって君は私の元に来るんだから」

エステルは身を震わせた。故郷には帰さないと言われた気がした。

自然環境の厳しいフローゼスだが、美しい土地でもある。特にエステルが好きなのは春だ。長く厳しい冬が終わり、雪解けが始まると、春に咲く花々が一気に咲き誇る。その様子は豪雪地帯ならではのものだ。

故郷を思い出すと、エステルの心には帰りたいという想いがどうしても湧き上がる。兄が、そして叔父夫婦が恋しくなった。

「何か言いたい事がありそうな顔だね」

「……別に何もありません」

「嘘だ。本当は嫌なんだよね？　私の所に来るのが。そういう顔だ」

「………」

黙り込んだエステルに、アークレインはため息をついた。

「沈黙は肯定とみなすけどそれでいいのかな？」

「口に出す事に意味はありますか？　嫌だと言っても殿下がお望みであれば逆らう術はありません」

王族はこの国一番の権力者。その希望に逆らえば、不敬罪に問われてもおかしくない。

「……不思議だね。何故か君のそんな態度には無性に腹が立つ」

「申し訳ございません」

「謝る必要はないよ。体は権力で縛れても心までは縛れない。そんな事は私にもわかっている」

アークレインは冷笑を浮かべた。そしてマナも濁る。エステルはどうやら彼の勘気(かんき)に触れてしまったらしい。

どうすれば彼の怒りを鎮める事ができるのだろう。考えるがエステルにはわからない。心にもない事は言いたくないし、妃になんてなりたくないと本音を告げたところで更なる怒りを煽るだけのような気がする。

「……内定が出たよ。君にとっては残念なお知らせかもしれないけれどね」

「え……？」

「父上が私と君の婚約を認めて下さった。正式発表は宮殿で開かれるニューイヤーパーティーで行われる」

ああ、もう逃げられないのだ。エステルは俯くと目を瞑った。

「ニューイヤーパーティーで婚約発表を行ったら、君には天秤宮に移動してもらう。そのつもりでいてほしい」

天秤宮はアルビオン宮殿を構成する十二の建物のうち、アークレインが使用している建物だ。

アークレインの手が伸びてきて、エステルの頬に触れた。

「移動したら君は名実ともに私のものだ。楽しみだね」

アークレインはそう告げながら微笑んだ。しかし彼の体内のマナはまだ荒れ狂っていて、そのロイヤルブルーの瞳には剣呑な光が宿っている。

「君にも心の準備期間が必要だろうから、しばらくは子供ができるような事はするつもりはないけどね」

目を細め、エステルの耳元で囁くと、アークレインは身を離して踵を返した。エステルは呆然とその背中を見送る。

さっきのアークレインはまるで肉食獣みたいだった。怪我をしたエステルを尋問する時にも同じような姿を見せているところから考えると、あれがきっと彼の本性だ。

あんな二面性のある人が自分の夫になる。しかも政争の真っ只中にいる第一王子という立場の人で、暗殺や失脚の危険が常に付きまとう。

怖い。これからどうなってしまうんだろう。エステルは自分で自分の体を抱きしめた。

◆　◆　◆

年が明け、ローザリア王国暦五三四年が始まった。

エステルは早朝から天秤宮に移動し、メイを始めとする天秤宮付きの女官達によって磨き立てられていた。

今日は王室主催のニューイヤーパーティーが開催される。全ての領主貴族が一堂に会し、国王への拝謁が義務付けられた一年で最も重要な晩餐会だ。また、その席上でアークレインとエステルの婚約が正式に発表される予定になっていた。

今日からエステルはこの天秤宮に住処を移す。そのためかパーティーの準備のために宛てがわれた部屋は王子妃のための部屋だった。私室にも寝室はあるが、夫婦のための寝室に繋がる扉が備え付けられている。

（使う事はない……わよね）

『移動したら君は名実ともに私のものだ』

以前にアークレインに言われた言葉が頭の中に蘇って頬が火照った。

しかし次の瞬間、思い直す。しばらくは子供ができるような事はしないとも言っていた。だからきっと大丈夫なはずだ。エステルは自分に言い聞かせる。

婚約段階での同居については周囲の反対があったものの、サーシェス王がミリアリア前王妃を婚約成立と同時に獅子宮に住まわせた前例があったためにアークレインが押し切った。

余談だがアークレインは挙式から七か月後に産まれていて、早産だったと記録されているらしい。その意味は深く考えない方がよさそうである。


入浴に始まり、全身をマッサージされ、頭頂部からつま先まで念入りに手入れされたエステルは、パーティーが始まる前から疲れ果てていた。

今日エステルが着用するのは、移動遊園地に行った日に届けられた、紺に金薔薇の刺繍が入ったローブ・デコルテである。

左手の薬指を飾るのはエステルの瞳と同じ色合いを持つロードライトガーネットの婚約指輪だ。婚約の内定が出てすぐにアークレインから贈られた指輪は、エステルの好みを事前に調査して調達してくれたらしく、石を留める爪が花びらの形にカーブしている可愛らしいデザインになっていた。

思えば数多くの衣類や身の回りのものが慌ただしく準備されたのは、全てこの日のためだったに違いない。ドレスルームには、新しくあつらえたものだけでなく、アークレインが亡きミリアリア前王妃から受け継いだ装身具や、エステル自身がフローゼス領で愛用していた品がいっぱいに詰め込まれていた。

天秤宮に移動して嬉しかったのは、フローゼス伯爵家でエステルの侍女（レディースメイド）を務めていたリアとの再会だった。時間をかけて厳しい適性検査や身上調査を行った結果、エステル付きの女官として召し抱えてくれたのである。

メイとリアはお洒落好きという共通点があるためかすぐに意気投合したようだ。二人して楽しげにエステルを着せ替え人形にしている。

「アクセサリーは真珠にしますか？」

「いえ、こっちのダイヤモンドのセットを使うように殿下から指示が出ています。このダイヤは前王妃陛下が国王陛下との婚約発表の時に着用されたものらしいです」

「わあ……殿下のお母様と同じアクセサリーを同じ場面で使うなんて素敵ですね」

リアはぱあっと顔を輝かせた。

「さて、アクセサリーが決まったので次は髪型ですね。編み込みのハーフアップにして真珠をちりばめてみるのはいかがですか？」

「真珠は少し控えめにして薔薇の生花を飾りませんか？　白薔薇に真珠を散らすような感じにして……婚約発表に国花は外せないと思うんです」

女官二人の仲がいいのは結構だが、着替えに使う時間は倍以上になっている気がする。エステルは心の中でため息をついた。

「エステル様！　エステル様は何か今日の装いについてご希望はございませんか？」

突然リアから水を向けられてエステルはうっと詰まった。

「えっと……二人のセンスを信頼してるから……私としては全面的にお任せしたいんだけど……」

二人はじっとエステルの顔を見つめ、無言の圧力をかけてくる。何か提案しないといけない雰囲気を出され、エステルは頭の中の引き出しを必死に探った。

「髪に金のリボンも使うというのはどうかしら？　今日のドレスには金の刺繍が入ってるから合うと思うの」

「殿下の髪のお色でもありますものね！　細い金色のリボンを交ぜて編み込みましょう。で、最後に白薔薇を飾って……」

「いいですね。それでいきましょう」

この答えで良かったようだ。二人の表情がぱっと明るくなったのを見てエステルはほっと胸を撫で下ろした。

◆
◆
◆

身支度を終えてアークレインの待つ居間に移動すると、そこにはアークレインだけでなく兄のシリウスの姿もあった。

「うわっ、化けたな」

開口一番のシリウスの暴言に、アークレインは目を丸くし、エステルは頭痛を覚えた。

「お兄様、殿下の前でものすごく失礼ですよ」

じろりと睨みつけると、シリウスは肩をすくめて謝ってきた。

「ごめんごめん。凄く綺麗だよ。俺の妹じゃないみたいだ」

「私の台詞（せりふ）を奪わないで頂けますか、シリウス殿」

アークレインとシリウスは、エステルを待つ間、仲良く談笑していたようである。

見慣れているシリウスの正装はともかく、アークレインの姿は暴力的に華やかだった。

アークレインが身に着けている衣装は大礼服（コート・ドレス）と呼ばれる軍服に似た王族の第一礼装だ。

金の飾緒（しょくしょ）とエポレットが付いた漆黒の装束を着用した姿は禁欲的で、肩から斜めに掛けられたロイヤルブルーのサッシュと胸元の勲章が華やかさに彩りを添えている。

彼の大礼服姿を見るのは初めてではないのに、心臓のドキドキが止まらない。

「アークレイン殿下、今更ですが、本当にこいつでいいんですか？　顔も頭の出来も普通ですよ？」

「私はエステルがいいんですよ、シリウス殿。彼女は私にとってとても魅力的な女性です」

そんな事ちっとも思っていない癖に。

冷静に分析するエステルと違って、シリウスは瞳を潤ませた。その場に立ち上がるとアークレインに向かって頭を下げる。

「殿下、どうかエステルをお願いします。たった一人の大切な妹なんです」

「頭を上げて下さい、シリウス殿。世界一幸せな花嫁にすると誓います」

心にもない事をシリウスに告げるアークレインが気持ち悪い。マナを楽しげに輝かせているのが実に性質が悪いと思う。シリウスはと言えば自分の兄ながら単純な人間だから完全に騙されている。まるで出来の悪い演劇を見せつけられている気分になった。

「こんな形でお前を送り出す事になるなんてな……幸せになれよ、エステル」

「……はい、お兄様」

果たしてちゃんと幸せになれるだろうか。不幸になるつもりは毛頭ないけれど、子供の頃に思い描いていた旦那様に愛し愛されて温かい家庭を築くという夢は、この王子様とでは叶いそうにない。アークレインに目を付けられたせいで、色々な人の思惑が渦巻く宮殿暮らしがこれから始まる。考えるだけで気が滅入った。

◆　◆　◆

アルビオン宮殿で開かれるニューイヤーパーティーは、宮殿を構成する十二の建物のうち、双魚宮にて開催される。双魚宮は現在王族の住居としてではなく、こういった大規模な王室主催の催しが実施される時に使用される宮となっていた。

オリヴィア・レインズワースはその晩餐会の席上で、内心穏やかではない気分で王族の入場を待っていた。

これで二か月近くアークレインに会えない日々が続いている。

年末から年始にかけては王室行事が詰まっているから、この時期のアークレインが忙しいのは知っていた。

しかし、面会の申請もパーティーへの招待も、何もかもが却下される状態が続いているのは、これまでにない事で明らかに異常だった。

ニューイヤーパーティーに参加できるのは、領主とそのパートナーだけだ。どうしてもアークレインに一目会いたかったオリヴィアは、母のアデラインに病気になってもらい、父のパートナー役を譲ってもらった。

彼に会いたかった理由は一つ。婚約の噂についてどうしても本人に直接確かめたかったからだ。

(私が一番の候補のはずだったのに)

アークレインを支える第一王子派の貴族の中で一番身分が高く、かつ年回りがいいのはオリヴィアだった。そして、彼もまたパーティーの時のパートナーにオリヴィアを選ぶ事が多かったから、誰もがアークレインの妃にはオリヴィアが収まるのではないかと噂していた。

風向きが変わったのは十一月の初旬に行われたロージェル侯爵家での舞踏会からだ。

二曲目のスローワルツの時に襲撃があり、暗殺者の凶弾からアークレインを庇ってエステル・フローゼスが負傷した。それからアークレインの行動はおかしくなった。

(あの時踊っていたのが私だったら……)

絶対にエステルと同じ行動をした。オリヴィアは唇を噛んだ。

普段の舞踏会なら二曲目もアークレインはオリヴィアと踊ってくれた。しかしあの日に限っては二曲目も踊りたいというオリヴィアの願いを断って、エステルの所へと行ってしまった。

そこには、アークレインの意図が働いていた。今まで中立を貫いてきたフローゼス伯爵家がアークレインの元にやってきた初めての夜会だから、歓迎する姿勢を見せておきたい――オリヴィアはそう説明され、仕方なく身を引いたのだった。

その後の出来事を考えたら後悔しかない。なんとしても踊ってもらうべきだった。

大衆紙（タブロイド）の記事が出て、父が真偽を確かめに天秤宮に押し掛けたところ、アークレインはエステルに惹かれている事を認めたそうだ。

自分を庇って怪我をしたエステルを見舞っているうちに、少しずつ恋心が芽生えた。アークレインは父にそう告げたらしい。


「王族席が一つ多いのではありませんか？」

「ではやはり噂は本当だったのか……」

晩餐会の席次は貴族としての序列順と厳密に決まっている。王族席の数が増えている事に、大広間に入った貴族達はひそひそと囁きあっていた。

「お父様……」

オリヴィアは隣に座るトールメイラーを見上げた。

「だから今日は来ない方がいいと言ったんだ」

父の様子を見る限り、今日何が起こるのかあらかじめ知っていたに違いない。これは間違いなくアークレインの婚約が発表される。相手は十中八九、エステル・フローゼスだ。

周囲の領主達の視線がオリヴィアに突き刺さった。今まで王子妃の第一候補と持ち上げられ、その気になっていたオリヴィアを皆して嘲笑っているに違いない。

屈辱だった。侯爵令嬢として生まれたオリヴィアには、哀れみも嘲笑も今まで一切無縁だった。

人々の視線はもう一人、フローゼス伯爵の元にも集中していた。エステルの兄に当たる若き伯爵は、周囲の視線などどこ吹く風で隣の席の領主と談笑している。

（……確か去年はフローゼスの隣はウィンティアだったはず）

席次が上がっている。オリヴィアは今更ながらそれに気付き、テーブルの下で手を強く握りしめた。薄いレースの手袋越しに爪が手の平に食い込むが、その痛みが今のオリヴィアには必要だった。

ウィンティア伯爵夫妻は肩身が狭そうだ。無理もない。息子の元婚約者が第一王子の婚約者として返り咲こうとしているのだから。エステルとライル・ウィンティアの婚約破棄のゴシップは社交界では有名だった。

なお、ライルをエステルから奪い取ったポートリエ男爵は呼ばれていない。ポートリエ男爵家はその資産力を背景に爵位を賜った宮廷貴族で、領地を持たないのでこのパーティーへの参加資格が無いのだ。ポートリエ男爵がいれば、オリヴィアに向けられる不躾な視線は分散されたはずだ。

王族の入場を告げるファンファーレが高らかに大広間に響き渡った。

そして国王夫妻に続き、アークレインがエステルをエスコートして現れる。

事前に噂されていたにもかかわらず、大広間中に人々の驚きが小波のように広がった。

エステルはオリヴィアの記憶にある姿よりもずっと綺麗になっていた。

その身に纏うのは、紺に金薔薇の刺繍が施された、どこかアークレインを連想させるローブ・デコルテだ。彼女の左腕には魔導銃で撃たれたことによる傷痕があるという噂だが、それを裏付けるように少し袖が長めになっていた。

艶やかな栗色の髪は綺麗に編み込まれ、金のリボンと白薔薇の生花であでやかに飾られている。そして左手の薬指には、瞳の色と同じ赤紫の、ロードライトガーネットらしき指輪が輝いていた。

美人ではあるけれど、中の上くらいの顔立ちの女性だというのがオリヴィアの中のエステルの印象だった。しかし今のエステルには正直負けたと思った。整った顔立ちを十二分に引き立てる化粧が施され、正装のアークレインと並んでも見劣りしないレベルにまで引き上げられている。

エステルをあんなに綺麗にしたのは間違いなくアークレインの愛情に違いない。醜い嫉妬心が湧き上がり、頭がおかしくなりそうだった。

◆　◆　◆

（お腹痛い……帰りたい……）

王族のための控え室でエステルは青ざめていた。

「そんなに緊張しなくても大丈夫だよ、エステル。君はただ私の横に立っていてくれるだけでいいから」

「まあ、仲睦まじいこと。ローザリアの未来は安泰だと思いませんか、陛下」

エステルを力付けるアークレインを見て、トルテリーゼ王妃がにこやかにサーシェス王に話しかけた。微笑ましいものを見る表情なのに、そのマナはティーパーティーの時同様に陰っていて、本音は別のところにある事を示している。対するサーシェス王はどこか複雑な表情だ。

「……そうだな。アークレイン、エステル嬢を大切にするように」

本音を隠しエステルに負の感情を抱く王妃に、仕方なく婚約を認めたという様子の王、未来の義理の両親のそんな様子には不安しかない。

また、正式な社交の場には未成年のリーディス王子は参加できないため、結局この日まで未来の義弟とは顔を合わせないままになっている。アークレインは会う必要などないというが、リーディスの反応も不安材料の一つだ。

ぐるぐると将来への不安について考えていると、王族の入場を告げるファンファーレが鳴ってしまった。

「行こうか」

アークレインに促され、国王夫妻に続いて会場へと向かうが、これから刑場に引き出される死刑囚になったような気分である。

晩餐の会場に一歩足を踏み入れると、突き刺すような膨大な量の視線がエステルに降り注いだ。

怖い。貴族達の視線が、マナが、悪意の塊となってエステルに襲いかかってくる。

「今宵は新しき年の訪れを言祝ぐこの席で、皆を迎えられ嬉しく思う。この佳き日に、皆に是非伝えたい事がある」

サーシェス王の口上が始まったが、耳の上を滑り、言葉が全然頭に入ってこない。

「この度、我が第一子、アークレイン・イグリット・オブ・ローザリアとフローゼス伯爵令嬢、エステル・フローゼスの婚約を承認した。この婚約については、後日改めて議会より布告するものとする」

婚約が国王により宣言されると同時に、会場全体のマナの色合いが昏く陰った。

この場にいるのは全員が領主貴族だ。ただでさえマナの量が平民より多いから、エステルは恐怖と嫌悪で吐きそうになる。

この婚約を喜んでくれているのは、会場内にはほんのひと握りしかいない。シリウス、シエラとクラウス、そしてキーラを始めとした学生時代の何人かの友人達。

誰よりも昏いマナを発しているのはオリヴィア・レインズワースだ。レインズワース侯爵のパートナーとして夫人の代わりに参加したようだが、美しい顔を歪め、こちらに誰よりも強い敵意を向けてくる姿はまるで聖典に出てくる嫉妬の悪魔である。

国王の口上が終わったので、エステルはアークレインや王妃と共に皆に一礼して着席する。

晩餐は始まったばかりだが、もう逃げ出して帰りたい。

まだまだ長い苦行の序盤なのだと思うと、いっそ気絶したかった。

五章　天秤宮の新生活

（疲れた……）

晩餐が終わり、ようやく天秤宮の自室に帰りついたエステルは、ぐったりとソファに倒れ込んだ。

アークレインにエスコートされて会場に入った瞬間の、貴族達の刺すような視線と昏く変化したマナは夢に見そうなくらい恐ろしかった。

エステルの傍には常にアークレインがいたので、晩餐の席で面と向かって何かを言う人はいなかった。しかしマナと共に感情の正負を感知してしまうエステルにとって、会場に居続ける事は精神的拷問を受けているのに等しかった。

「エステル様、そのまま寝ちゃ駄目です！　お風呂に入りましょう！」

ソファに座ってうとうとしかけたら、リアに叩き起こされた。

妃のために作られているだけあってこの部屋の設備は豪華だ。続き部屋には個人のためのバスルームがある。ヘレディア大陸の北部から取り寄せたサウナ設備も付いているという充実ぶりである。

パーティーの間エステルに付いていてくれたのは、宮殿をよく知るメイだ。リアは部屋に残り、入浴やナイトウェアの準備など、エステルが眠りにつくための用意をしてくれていた。

リアに手伝ってもらい入浴と肌の手入れを終えたエステルは、着替えとして渡されたナイトウェアにギョッと目を見開いた。純白のナイトウェアは胸元がかなり開いた煽情的なデザインだったからだ。

「待って、リア。今日ってこちら側の寝室で眠っていいのよね……？」

「いいえ、殿下からは共用の寝室に来るようにとの指示を頂いております」

「ええっ⁉　まだ正式に結婚した訳じゃなくて婚約段階よ？」

エステルはさあっと青ざめた。結婚式は今年の秋に行う予定で現在日程を調整中である。

(子供ができる事はしないって仰ってたのに)

「嫌よ！　私、こっちで寝るから！」

こんないやらしいナイトウェアを着て二人きりになるなんて恥ずかしすぎる。

「駄目です！　私とメイさんのためにも夫婦の寝室に行ってください」

「なんでそこでリアとメイが出てくるの⁉」

「殿下の言いつけに背いたら罰があるかもしれません」

リアはエステルの腕をがしっと摑み、必死に訴えてくる。

(そんな事で罰を与える暴君じゃない……とは言いきれないわね)

時折アークレインが浮かべる獰猛な顔が脳裏をよぎり、エステルは肩を落とした。

肌寒いのでナイトウェアの上にはがっちりと上着を着込み、共通の寝室に向かうと、既に中にはアークレインの姿があった。

アークレインはソファに腰掛け、何かの書類を確認していた。

エステルの姿を認めると、彼は書類をテーブルに置き話しかけてくる。

「やっと来た。お腹は空いてない？　軽食を準備させたよ。パーティーでは全然食べてなかったよね？」

テーブルの上にはペストリーやカットフルーツなど、簡単に食べられるものが用意されていた。

「少しだけ頂きます」

小声で返事をし、アークレインから距離を取って腰掛けると笑われた。

「そんなに警戒しなくてもエステルが望まないなら何もしないよ。嫌がる女の子に無理強いするほど落ちぶれていない」

「ならどうしてここに呼んだんですか」

「私は君に溺れているという設定になってるから。折角同じ屋根の下で暮らせるようになった婚約者に何もしないなんて、私に何か問題があるのではと思われる。一昔前ならいざ知らず、今は妃の処女性なんて求められてはいないからね」

アークレインの言葉にエステルは硬直した。

「一応聞くけど、エステル、私と本当に肌を合わせるのと、汚れたシーツで眠るのとならどっちがいい？」

「ご質問の意味がわかりません」

「下女が掃除に入った時に痕跡がなかったら怪しまれる。それなりの工作をしておかないとね」

なるほど。エステルは納得すると同時に何故無意味な質問をするんだろうと思った。答えは決まりきっている。

「汚れたシーツでお願いします」

「そうきっぱり言われると傷付くなぁ」

口ではそう言うものの楽しげな様子でアークレインは席を立ち、テーブル脇のワゴンへと移動した。ワゴンにはティーセットと魔導ポットが置かれている。どうやらお茶を淹れるつもりのようだ。

「お茶なら私が」

「疲れてるだろうからエステルは座っていていいよ」

アークレインはエステルを制すと、慣れた手付きでお茶の準備を始めた。すぐにいい香りが漂ってくる。この香りはアップル系のフレーバーティーだろうか。

「ご自分でよく淹れられるんですか？」

「うん。執務中に人に出入りされるのは好きじゃなくてね」

アークレインが淹れてくれたお茶は香りが良くて、お腹の中から体が温まった。ペストリーもとても美味しい。パーティーの食事は味わう余裕なんてなかったので、久しぶりに味のするものを食べた気がする。

「美味しい？」

「はい」

「それは良かった」

アークレインはにっこりと微笑んだ。

「殿下、兄に良くしてくださってありがとうございます」

晩餐の前にこちらに招いてくれた事もだが、晩餐中もアークレインはシリウスの元に行き、婚約者の兄として色々と気遣ってくれていた。

「未来の義兄になる人だからね。それにシリウスは真っ直ぐな人だから付き合いやすい」

アークレインは微笑みながらティーカップを傾けた。単純馬鹿で扱いやすいと言われているような気がするのは穿ちすぎだろうか。

「あの……リーディス殿下とはお会いしないままこちらに移る事になりましたが良かったのでしょうか？」

「いいんじゃないかな。私とリーディスは仲が良いとは言えなくてね。会うと向こうが突っかかってくるから面倒なんだ」

改めて確認をするとアークレインはため息をついた。兄弟仲は噂通り悪いようだ。

「君も気を付けた方がいい。リーディスは甘やかされて育ったせいで、自己中心的で我が儘な子供なんだ。もし私がいない時に出会ったら、怒らせないようにする事だけ考えてほしい。あいつはかなり強い念動力者だから、下手に逆上させたら何をされるかわからない」

「……気を付けます」

なかなかの危険人物のようである。

「ところで、今日参加した貴族達のマナはどうだった？」

アークレインはこれ以上リーディスの話をしたくないのか話題を変えてきた。

「ほとんどの人が陰っていました。……あ、でもマールヴィック公爵は喜んでいらっしゃいました」

エステルは皺くちゃのマールヴィック老公爵の顔を思い出した。彼はトルテリーゼ王妃の父親である。

「あの老害野郎は喜んでたの？」

「はい」

「王妃はどうだった？」

「王妃陛下はやっぱり私の事がお気に召さないようでした。不思議ですよね。私、王妃陛下に対して何かしでかしたんでしょうか？」

トルテリーゼ王妃はこの婚約をにこやかに祝福していたが、前回のティーパーティーの時と同じで、エステルを視界に入れる度にマナを陰らせていた。

「わからないな……調査はさせているけど、今のところ何も出てきてないんだ」

アークレインは顎に手を当ててうーんと考え込んだ。

お腹が満たされると眠くなってきた。ふわあと欠伸をすると、アークレインが手を差し伸べてくる。

「疲れてるんだね。もう休もうか」

「もしかして同じベッドで眠らなきゃいけませんか……？」

「そうじゃないと怪しまれるよ。それにソファじゃよく眠れないからね」

夫婦の寝室に置かれているだけあって、この部屋のベッドはとても広い。一緒に眠るといっても端と端で眠れば体が触れ合う事はないだろう。エステルはため息をつくと妥協する事にした。

エステルがベッドに移動すると、アークレインの念動力によってベッドサイドの魔導ランプだけを残して部屋の照明が落とされた。わざわざスイッチがある場所に移動しなくていいのは少し羨ましい。

そしてアークレインは上に着込んだ上着を脱いでこちらにやってくる。ナイトウェア姿になったアークレインの胸元からは、普段は衣服によって隠されている鎖骨と鍛えられた筋肉がちらりと覗いていて、エステルは思わず目を逸らした。

「もう少し真ん中で寝たほうがいい。落ちるよ」

「落ちません！　寝相はいい方なんです」

くすりとアークレインが笑う気配がした。

「さて、寝る前に工作だけはしないとね」

そう言うと、アークレインは枕の下から短剣を取り出した。

「なんでそんなものがそこにあるんですか」

「暗殺対策。ああ、でもこれで寝首を掻こうなんて考えないでね。相当なマナを込めないと私は傷付かないし、隣でそんな動きをしたらさすがに気付く」

どうやら短剣はマナブレードらしい。柄に魔導石が埋め込まれていて、マナを流す事で切れ味が上がるという代物だ。

アークレインは短剣にマナを流してから左の手の平を切った。エステルはぎょっと目を見開く。

「ちょっとやり過ぎたかな？　結構痛い」

「手当てを……」

「いらない。すぐ塞がる」

アークレインはポタポタとシーツに血を落とすと、ベッドサイドに置かれていた小箱を開けた。中には濡れた手巾（ハンカチ）が入っていて湯気を立てていた。アークレインは手巾を一枚取り出すと、血で汚れた手の平を拭（ぬぐ）う。すぐ塞がると言っていた言葉の通り、既に傷口は跡形も無く消えていた。

（これが王族の自己回復力）

マナの量を太陽のハロー現象のように視覚的に捉えてしまうエステルにはわかる。アークレインもサーシェス王も非常にマナの量が多い。

一般的な平民は心臓の辺りに握りこぶし大のマナが銀色の光として見える程度だが、アークレインの場合は体から大きくはみ出て後光が差しているように見える。貴族や竜伐銃の使い手でも胴体を覆う程度なので、王族のマナは格が違う。

噂には聞いていたけれど、実際にその回復力を目の当たりにすると畏怖を覚えた。

（私が庇う必要なんて本当に無かったのね）

心の中がもやもやする。エステルは傷痕が残った左腕を、そっと服の上から押さえた。

「エステル、その分厚い上着は脱いだ方がいいと思うよ。いくら冬でもこの部屋は暖かいし、布団を被ったら確実に寝汗をかく」

「ぬ、脱げません！　ナイトウェアに少し問題があって……」

アークレインに声をかけられ、エステルはぎゅっと自分の体を抱き込んだ。

「ああ、初夜用のものを着せられた？　なら向こうを向いているから、上着を脱いだらすぐに布団で隠せばいい」

寝汗をかくというアークレインの言う事はもっともだ。エステルはアークレインが後ろを向くのを確認すると、するりと上着を脱ぎ、ふかふかの羽毛布団の中に潜り込んだ。

その直後だった。

こちらを振り向いたアークレインが、布団を勢いよく剝ぎ取った。

「なっ！」

「へえ……」

「何をなさるんですか！」

「隠されると暴きたくなるよね」

アークレインの眼差しは、大きく開いた胸元に注がれている。

エステルは頰を染めると、アークレインを押し退けてその場から逃げ出そうとした。しかしそれは叶わず、覆い被さってきたアークレインによってベッドのシーツに縫い止められる。

「で、殿下、離して……」

「駄目」

囁きと共に秀麗な顔が至近距離に近付いてくる。

ふわりと鼻腔をベルガモットの香りが掠めた。

振り解きたいのに力の差がありすぎてビクともしない。

恐怖に顔を思い切り背けると首筋に何か濡れたものが触れた。

「っ……！」

唇だ。首筋に口付けられている。エステルの肌が粟立った。

「やっ、何するんですか！」

「何って、工作」

「え……？」

アークレインはエステルの首筋から唇を離すと、楽しげに微笑んだ。そして次は胸元に顔を埋めてくる。

「一応情事があったらしい痕跡を残しておかないと」

言われて胸元を見ると、鬱血して赤くなっていた。

アークレインはエステルから身を離すと、布団を元に戻して自身もその隣に滑り込んできた。

「この先もお望みとあらばするけど？」

「け、結構です！」

エステルはかあっと頬を染めると、アークレインに背を向けた。クスクスと笑い声が聞こえてくる。

マナも輝き実に楽しそうだ。

弄ばれている。腹が立つと同時にものすごく恥ずかしい。

どうしよう、心臓のドキドキが治まらない。

エステルはこっそりと指先を胸元にやり、アークレインの唇の痕に触れた。

◆　◆　◆

ベッドサイドの照明を消し、ベッドの天蓋についたカーテンを閉じてしまうと、辺りには暗闇が訪れる。

ほどなくして隣から聞こえてきたエステルの寝息にアークレインは思わず吹き出した。

何かされるのではないかと警戒していたくせに、こうもあっさりと眠ってしまうとは。いや、それだけ今日のパーティーは彼女を疲れさせるものだったのだろう。

アークレインは夜目が利く方だ。音を立てないように気を付けながら隣を覗き込むと、エステルの静かな寝顔が見えた。

我慢強く、もの静かなエステルをアークレインは今ではかなり気に入っていた。望んでもいないのに宮殿まで連れてこられて、思うところがきっとあるだろうに。

彼女が望んでいるのは王子妃ではなく、もっと平凡な幸せだという事はわかっている。全てを呑み込み、アークレインの求婚を受け入れたのは不敬罪を恐れてだろう。そんな彼女を強引に引き込んだ事に対して少しだけ罪悪感が湧く。

しかし反省はしない。こちらも生き残るために必死なのだ。使えるものはなんでも使う。そうしなければこの魔窟では生きていけない。彼女には申し訳ないが、使える駒をむざむざ逃す訳にはいかなかった。

アークレインも男だ。女性の体が近くにあると欲が刺激される。

情事があったように装うためだなんて言い訳だ。単に触れてみたかったから口付けの痕を残した。更に先に進みたいという欲を理性で押しとどめたのは、さすがに可哀想だと思ったからだ。

手を出すのはいつでもできる。ならばせめてもう少し、心の距離が近付くまでは待ってやってもいい。

アークレインは眠るエステルの頬にそっと触れてみた。

「うぅん……」

エステルは眉を寄せると鬱陶しそうにその手を振り払い、寝返りを打った。

起こしてしまっただろうか。こちらを向いたエステルの顔をアークレインはじっと観察する。

しかし心配は不要だった。すぐにエステルは規則正しい寝息を立て始める。アークレインは口元に笑みを浮かべると、頬にそっと口付けた。

◆　◆　◆

寒い。朝方になって暖炉の火が燃え尽きたのだろうか。

エステルはもぞもぞと動くと温もりを求めて布団の中に頭まで潜った。

すると、至近距離に温かい何かがあった。温石にしては大きいがものすごく温かい。エステルはそれにギュッと抱き着いた。

なんだろう。これ。昔飼っていた猟犬を思い出した。

「カイ……」

帰ってきてくれたの？　随分前に寿命で天に召されたはずだけど……。

それにこの温かいものはいい匂いだ。独特の香ばしい匂いがしたカイとは違う。柑橘系の爽やかだけど少しほろ苦い……。

「他の男の名前を呼ばれると複雑な気分になるね」

温かいものに話しかけられて、エステルはギョッと目を見開いた。すると至近距離に精巧に整った金髪の青年の顔があってまた驚く。

「でんか……？」

アークレインを認識し、エステルはぴしりと固まった。

どうしてアークレインが目の前に居るのだろう。記憶を探ったエステルは、昨日から天秤宮へ移ってきた事を思い出した。

「情熱的に抱きついて来られて、つい手を出しそうになったけど気が削がれた」

アークレインの言葉に、エステルはアークレインの胴体にしがみついている事に気付いてさあっと青ざめた。慌てて身を離そうとするが、逆にぐっと抱き込まれる。

「やだ、離してください！」

逞しい筋肉の感触とベルガモットの香りにエステルは混乱した。お互いの肌を隔てるものは薄いナイトウェア一枚という事に頭がくらくらする。

「ねえ、カイって誰？　ライル・ウィンティア以外にも男がいたの？　教えてくれたら離すかどうか考えてあげる」

「カイは昔飼っていた犬です！　ふさふさの白いフローゼス犬で、寒い時期は一緒に寝ていました！」

慌てて弁解すると、ぷっと吹き出す声が耳元で聞こえてきた。

「わかってるよ。一応君の素行はしっかり調査したからね。男の影がないのも飼い犬の名前も知ってた」

(この人は……！)

最低。馬鹿。エステルは心の中で罵倒した。口には出せない。不敬になる。

「教えたので離して下さい」

「寒いから駄目。他人と寝るのは初めてだけど寒い時期にはなかなかいいね。温かい」

エステルはもがくが逃げられない。男女の力の差を思い知らされただけだった。こうなったら仕方ない。エステルは早々に諦めた。

「あれ？　この状況を受け入れるの？」

「無駄な事はしない主義なだけです」

エステルは虚ろな眼差しでそう返した。

ベッドを覆うカーテン越しに日差しが差し込んでいるところを見るともう朝なのだろう。

宮殿に暖炉は存在せず、代わりに遥かに高価な魔導式の空調設備が備え付けられている。肌寒いのは恐らくそれが切れたせいだ。人肌の温もりが心地よくて、エステルは諦めて目を閉じた。

ここにいるのは王子様ではなくて兄だ。そう自分に言い聞かせる。子供の頃は毎日シリウスやカイと一緒に眠っていた。

そんな事を考えているうちに再び眠くなってきた。エステルは現実から逃げたくて睡魔に素直に身を委ねた。

◆　◆　◆

エステルが次に目を覚ましたのは、隣の温もりが逃げて行ったからだった。

「ん……」

「起きた？」

誰かに声をかけられ、パチリと目を開けると、半身を起こしたアークレインと目が合った。

「!?」

抱きしめられて二度寝してしまったのだ。状況を把握したエステルが目を白黒させると、アークレインは吹き出した。

至近距離に顔が近付いてきたかと思ったら、額に口付けられ、エステルはビクリと身を震わせる。

「婚約者がいた割に免疫がないんだね。ライル・ウィンティアとはこういう事はしなかったの？」

「し、しません！　手を繋ぐくらいはありましたけど……真面目な人でしたから」

「へぇ……ライルが真面目野郎で良かったよ。自分のものには手垢が付いていないに越した事はないからね」

アークレインは目を細めて笑った。どこか人を馬鹿にした笑いだ。

「何にしても私との触れ合いには少しずつ慣れてもらわないと困る。昨日は許してあげたけど、いずれ私は君を抱くよ」

「で、殿下に必要なのは私の異能ですよね？　私としては白い結婚でも全く問題はないのですが」

「それはさすがに困るかな。君の期待に沿えなくて申し訳ないけどね」

アークレインはにこやかに微笑んだ。

「私は面倒な事は嫌いなんだ。男だからそういう欲は湧くけど、外で発散するのは非効率極まりないからね。合法的に抱ける君という存在に手を出さないというのは個人的にありえない。一人の女性を大切にしているように見せた方が周囲の心証もいいしね」

この人には人の心があるのだろうか？　思わず疑ってしまいたくなる言い草だった。

「私はもう起きるけどエステルはどうする？」

「起きます。十分に休みましたから」

「なら食事はこちらに運ばせよう。今日の君は私に愛されて足腰立たない設定だから、午前中はゆっくり休むといい」

「なっ」

エステルはかあっと頬を染めた。情事を示唆する言葉を聞く度に反応してしまう自分が恨めしい。

「メイにだけは君と私の間に何もなかった事を伝えておくけど、他の人の前では振る舞いに気を付けてほしい」

「リアには伝えてはいけませんか？」

「リアは君のためにここに迎えたけど、まだ完全に私が信用できていないから遠慮してほしいかな。ごめんね、君にとっては信頼できる側近なのに」

「いいえ、殿下にとってはまだ付き合いが浅いのでそれは仕方のない事かと思います」

エステルの回答は正解だったようだ。アークレインは満足気に目を細めた。

「午後からはこの天秤宮の中を案内するよ。昨日はそれどころじゃなかったから」

アークレインはエステルの頭をくしゃりと撫でると、共通の寝室から自分の部屋の方へと出て行った。


少しの間を置いて、メイとリアがエステルの身支度のため、寝室に入ってきた。

「お嬢様が大人になってしまわれたかと思うと……なんというか感慨深いです」

しみじみとリアから言われ、エステルはその場に突っ伏したくなった。メイからは何やら生温い目が向けられている。

全てはアークレインがエステルに溺れているという設定のための工作に過ぎないのに。恥ずかしくていたたまれない。

「今日は首の詰まったドレスにしないと駄目ですね。今が冬で良かったです」

リアは上機嫌だ。ライルとの婚約破棄の時、彼女は自分の事のように激怒していたから、エステルが王子様に見初められて嬉しいのだろう。

(その王子様は政治的には難しい立場にいる方なのよ……)

そんな事はリアもわかっているはずなのに。エステルは心の中で呟いた。

◆◆◆

午後になると、アークレインがエステルの部屋を訪れた。

「体の具合はどう？　大丈夫そうなら天秤宮を案内するよ」

今日はメイにもリアにもやけに体を気遣われるのだが、初めてとはそんなに体の負担がかかるものなのだろうか。痛いとは噂に聞くけれど、いずれアークレインとする事になると思うと不安が湧き上がる。

(する事自体は嫌じゃない。……というかむしろ光栄な事よね。殿下はこんなに格好いいんだし)

背景が大層で命の危険もあるという大きな問題が存在するのだが。

貴族の娘に生まれた以上、誰かに嫁ぐのは義務だ。アークレインに見出されていなければ、男性としては数段以上落ちる人にこの身を任せる事になっていたはずだ。

アークレインの性格は良いとは言えないけれど、基本的に紳士的だし何より王子様だ。政治的な立場が安定してくれさえすれば、考え得る中で一番最良の相手である。

「エステル？　どうしたの？　体調が悪い？」

再び声をかけられて、エステルははっと我に返った。

「申し訳ありません。考え事をしていました。体調は大丈夫です。行けます」

エステルは慌ててアークレインに返事をした。


アークレインの部屋に始まり、客室、応接室、広間、書斎――。

エステルはアークレインの案内で天秤宮の中を見て回った。倉庫や住み込みの職員の宿舎など、宮殿内で働く使用人が使う場所も含めて、広大な敷地内を順番に案内してもらう。

宮殿の中で王族の手足として働く職員は、男性を侍従、女性を女官と呼ぶ。

侍従・女官とは別に、護衛を担う職員として王室護衛官（ロイヤルガード）が編成されており、何度か顔を合わせた事のあるニール護衛官はそこの所属だった。射撃がしたければ、王室護衛官の訓練施設に設備があるので、そちらに行くようにと説明を受ける。

基本的に天秤宮で働く職員は、ロージェル侯爵家経由で、アークレインに忠実で信頼できる人間だけを雇い入れているらしい。

しかし、マナを見た限り、すれ違う職員の全員がエステルに好意的な訳ではなかったので、側近として付けてもらったメイやリアのありがたみを思い知る結果となった。なお、エステルに対して含むところのありそうな者は、後日配置換えを行い、エステルやアークレインの近辺からなるべく遠ざけてくれる予定になっている。

建物の中だけでもかなりの部屋数があり、一通り見て回るだけで一時間以上はかかった。

「基本的にこの天秤宮の外には出ないようにね。庭に出る時は必ず王室護衛官を連れて行く事」

「……仕方ないですね」

了承しながらも息苦しさは感じてしまう。しかしそれがアークレインの婚約者になるという事だ。受け入れるしかない。

最後に案内されたのはアークレインの執務室だった。

「私は外に出る公務の時以外は基本的にこの部屋で過ごしている。その時はエステル、君にはこちらの部屋に詰めておいてもらいたい」

そう言われて通されたのは執務室の続き間だった。その部屋には仮眠用なのか、ベッドとソファ、そして大量の本が納められた書棚があった。

「私の執務中はここで講義を受けてもらう。ある程度こちらに慣れてきたら、君にも執務を任せようかなと思ってる」

「更に私をこき使うおつもりですか？」

「いずれ君は私の妃としてこの宮を管理する立場になるからね。その予行演習だよ。あまり負担にならないよう配慮はする」

「……かしこまりました。社交に関してはいかがいたしましょうか？」

「最低限で構わないよ。公式に婚約が発表されたから、今頃大量の招待状が届いていると思うけど、こちらで分別して応じた方がいいものについては後で私から伝える。君は言わば灰かぶり姫（シンデレラ）だからね。今世間の注目を一番集めているのは間違いなく君だ」

アークレインの言葉にエステルは改めてうんざりした。

「君にここで過ごしてもらう理由は、異能で警報装置としての役目を果たしてもらうためだ。不審なマナを感じたら、これで教えてほしい」

そう言いながらアークレインはフロックコートのポケットから小箱を取り出し、開けてエステルに中身を見せた。そこに入っていたのは、魔導石が埋め込まれた銀色の指輪だった。

そして次に自分のシャツの袖口を示す。

「その指輪は私のカフスと対になっている」

よく見ると、袖口には指輪とよく似たデザインのカフスが付いていた。

「指輪にマナを流せばわずかに振動して私に伝わるようになっている。一応君の中指に合わせたサイズにしてあるから着けてみてほしい」

「わかりました」

エステルは頷くと、魔導具の指輪を受け取り、左手の中指にはめた。シンプルなデザインなので薬指の婚約指輪を邪魔しないデザインになっている。

「サイズは良さそうだね。試しにテストしてみようか。マナを流してみて」

エステルは指輪にマナを流した。すると、アークレインのカフスボタンがかすかに振動した。よく見ないと気付かない程度の微振動である。

「良さそうだ。じゃあ次に行こうか。今度は庭を案内するよ」

アークレインは微笑み、エステルを庭の散策へと誘った。

◆◆◆

夜はまたアークレインと一緒に眠る事になった。

アークレインがエステルを溺愛しているという設定を更に周りに知らしめるためである。エステルに執心していると思わせておけば、誰にも疑われる事なく警報装置を傍に置けるという作戦だ。

(心臓が持たないわ……)

メイとリア、二人がかりで磨きこまれたエステルは、げっそりとしながら共通の寝室へと向かった。

今日も寝室に入るのはアークレインの方が早かった。ソファに座り読書していたようだ。

「今日も女官達に色々されたみたいだね。顔が疲れてる。そっちに掛けていいよ」

「はい、殿下。失礼します」

勧められるままにアークレインの向かい側に腰をおろすと、アークレインは読みかけの本をテーブルに置いた。タイトルを見ると、意外にも大衆向けの冒険小説を読んでいたようだ。

「そういう本もお読みになるんですね」

「寝る前は何も考えなくても読める本がいいからね。それよりもその殿下って呼ぶのはそろそろやめてほしい」

「ではなんとお呼びすれば……」

「ただのアークでいいよ。婚約者なんだから」

そう言われても、王族を名前だけで呼ぶのは抵抗がある。

「エステル、アークって呼んで」

「………」

「アーク」

アークレインはしつこい。呼ぶまで許さないという気配を感じる。エステルは仕方なく口を開いた。

「アーク様」

「……今日のところはそれで許してあげるよ」

渋々そう呼ぶとようやく納得したようだ。面倒臭い王子様である。

「ここでの暮らしはどう？　やっていけそう？」

「やっていけるかどうかではなく、慣れなければいけないと思っています」

「優等生の回答だね」

アークレインは苦笑いした。マナを見る限り不快には思われていないようだ。

「話題を変えようか。エステル、突然だけど君、刺繍は得意？」

本当に唐突な質問だ。意図がわからずエステルは首を傾げた。

針仕事は女性にとっては貴賤問わず必須の技術だ。庶民の場合は生計を立てる手段になるし、上流階級の女性にとっても、夫の持ち物に家紋の刺繍を入れるのは妻の重要な仕事とされているためである。この刺繍の出来が悪いと夫に恥をかかせる事になる。だから皆子供の頃から針を持ち真剣に技術を身に付ける。

「人並みにはできると思いますが、何か刺繍を入れたいものがあるんですか？」

アークレインは頷くと、テーブルの上に置かれていたロイヤルブルーの布を手に取り、エステルの目の前で広げた。

「この生地に刺繍を入れてほしいんだ。エステルも知っているとは思うけれど、三月には狩猟大会がある」

アークレインの発言でピンと来た。

「マントですか？」

狩猟大会とは、王室が主催する軍事訓練を兼ねた社交行事である。首都近郊にある王室が保有する森が会場で、誰がどれだけ沢山の獣を狩ったかを競い合う。

狩猟大会に参加する男性は、家紋の刺繍を入れたマントを毎回新調して身に纏う習わしがあった。これは、戦場に赴く家族の安全を祈願したのが始まりと言われている。

マントに刺繍を入れるのは、一番関係の近い女性と決まっている。基本的には配偶者か婚約者で、どちらもいない場合は、家族や親戚の女性が代わりに準備をする。

フローゼス伯爵家の場合は竜伐の時期と被るため、狩猟大会に参加することはまずない。しかし竜伐のために山に入る男性には狩猟大会同様マントを贈る風習があって、例年シリウスのマントを用意するのはエステルと叔母のパメラの仕事だった。

「仕立ての時間も考えると、できれば一か月以内に仕上げてもらいたいんだけど……」

エステルはアークレインから生地を受け取った。かなり厚手のウール生地だ。生地をよく見ると、刺繍のための図案が既に書かれていた。

「この図案の位置に入れればいいんですね？」

「うん。できそうかな？　時間が厳しそうなら教育の時間を削ろうと思っている」

刺繍は利き腕の逆側に手の平サイズのものを入れると決まっている。だが、図案が二つ書かれていたのでエステルは顔をしかめた。普通の貴族なら家紋のみで済むのに、アークレインは王族だから、王家の紋章とアークレイン個人の印章の二つを刺繍しなければいけないようだ。しかも王家の紋章もアークレインの印章も複雑なので、図案を見るだけでうんざりする。

(分厚い生地に刺繍をするのは大変なのに)

エステルは頭を抱えつつも、嫌いな授業をサボるいい口実ができたと考える事にした。

「とりあえず一日三、四時間程度の作業時間を頂けますか？　間に合わなさそうならご相談します」

「わかった。スケジュールを調整する」

エステルは生地に視線を落とした。シリウスのものを準備した時と違って憂鬱になるのは、アークレインに対する気持ちがないからだろう。そう分析し、エステルは図案を指先でそっとなぞった。

六章　第二王子との邂逅

　年始めは色々な所へ出向く公務が多く、次の日からアークレインは天秤宮には寝に帰ってくるだけという状態になった。

　婚約者の立場では同行できるような公務はほとんどなく、マントの刺繍に取り組むために勉強の時間を控えめにしてもらった事もあって、エステルは天秤宮の中で比較的のびのびと過ごしていた。

　アークレインの婚約者として発表されてから行う初めての社交は、一週間後にロージェル侯爵邸で開催されるシエラ主催のティーパーティーと決まった。ティーパーティーは女性の社交だ。そこでエステルはまず、シエラから第一王子派の中でもエステルに好意的な女性達に紹介される予定である。学生時代の友人であるキーラも招待されると聞いているので、純粋に再会が楽しみだった。

　今日もアークレインは不在なので、エステルは午前中から自分の部屋で刺繍と格闘する事にした。

　厚手の生地に刺繍を刺すのは大変だ。指貫（ゆびぬき）を使ってもすぐ手が痛くなるので長時間の作業は難しい。しかし計画的に取り組んでおかないと、生地をマントに仕立てる時間がなくなってしまう。

　ローザリア王家の紋章は、白薔薇が描かれた盾と王冠を意匠化したものだ。盾の後ろには飛竜と剣が描かれていて、貴族の紋章とは比較にならないほど複雑で面倒臭い。ついでにアークレインの個人の印章も刺繍しなければいけないので、手間も二倍以上である。

（もう無理）

エステルは布を刺繍枠ごと放り出すと、痛みを訴える右手をぶらぶらと振った。休み休みやらないと手を痛めてしまいそうだ。

「お疲れですね。何か甘いものでもお持ちしましょうか？」

すかさずリアが声をかけてくる。

「ううん、息抜きをしたいから少し庭に出てもいい？」

「かしこまりました。コートを準備しますね」

心得た顔で外に出る準備を始めたのはメイだった。その後ろ姿を見ながらエステルは疲れた右手を揉(も)み解(ほぐ)す。少し気分転換をしたら手の痛みも治まるだろうから、また刺繍を再開するつもりだ。


庭に出る時は、必ず王室護衛官(ロイヤルガード)を連れて行くように言われている。

今日エステルに付いてくれるのは、以前移動遊園地に行った時に見かけたニール護衛官だった。

アークレインの正式な婚約者になったため、エステルには専属の王室護衛官が付けられている。

ニールともう一人、ネヴィルというベテランがエステルの専属護衛官として任命され、交代で警護に当たってくれていた。

この二人は特にアークレインに忠実らしい。二人を含めたアークレインの腹心の何人かには、警備上知っておいた方がいいというアークレインの判断で、エステルが『覚醒者』である事を明かしている。

と言っても後から異能について教えた人々には、単に敵意が感知できると伝えただけだ。大まかな感情が見えてしまうなんて人に知られないに越した事はない。


天秤宮の庭ではほとんどの木々が葉を落としていたが、ビオラやアリッサムといった冬咲きの花が植えられて綺麗に整えられていた。

南部では滅多に雪が降らないから、植物が寒さでやられる事がないようだ。吐く息は白いけれど、明らかにフローゼスとは寒さの質が違う。

「エステル様、どちらに向かわれます？」

「庭を一周したら戻るわ。少し外の空気を吸いたかっただけなの」

先導するニールに尋ねられ、エステルはそう答えた。

いい天気だが、寒いのに皆をあまり長時間付き合わせるのは申し訳ない。

ニールは茶色の髪にそばかすの浮いた素朴な顔立ちの青年だ。しかし若くして王室護衛官に選ばれただけあって、マナの量はエステルとほぼ同等だった。

使える魔導具の幅と威力に影響するので、兵士としてどこまで上に行けるかは持って生まれたマナの量に比例するのが実情だ。士官や王室護衛官には家を継げない貴族の次男以下が多いから、ニールもきっとその一人なのだろう。

お忍びの時はどこにでもいそうなお兄さん、という雰囲気だったが、王室護衛官の制服を身に着けていると格好良く見えた。

庭の奥にはガゼボがあり、その近くには常緑性のオークが植えられていて、この寒さにも負ける事なく緑の葉を茂らせていた。

その近くを通りかかった時、エステルは負の感情をはらむ大きなマナを感知した。感情自体はわずかに陰っている程度だが、アークレイン並みの大きなマナに体が怯む。

「エステル様」

エステルがピクリと反応したのをメイが敏感に察知し、庇うように前に出た。

「エステル様、どうかされましたか？」

不穏な雰囲気を察知したのか、メイと同じく戦闘態勢になったニールが小声で尋ねてきた。

「木の上に誰かが……」

不思議な事に、マナの光は感じ取れるのに、木の上には人の姿らしきものは見えなかった。それがエステルの恐怖をより煽る。

護身用の魔導銃は常に携帯している。しかし体がすくんで動けない。

代わってニールが自身の魔導銃を抜き、エステルの視線の先、オークの木の上へと銃口を向けた。

しかし――。

次の瞬間、不可視の力が飛んできて、ニールの手の中の銃を弾き飛ばした。否、エステルの異能の瞳は捉えていた。樹上からマナの塊が飛んでくるのを。

(念動力!?)

アークレインが移動遊園地で使った力に似ていた。

「エステル様、伏せて下さい！」

叫ぶと同時にメイの手から銀色に光る何かが放たれた。投擲（とうてき）用のナイフだろうか。しかしそれはマナの壁に阻まれて地に落ちる。

『覚醒者』だ。エステルが悟るのと、木の上から何者かが降りてくるのは同時だった。

エステルは目を見張った。その人物は、アークレインをそのまま幼くした容貌の持ち主だったからだ。

違うのは髪の色が赤みがかった金髪（ストロベリーブロンド）だというところくらいだ。

こんな容姿を持つ十代半ばの少年というと、一人しか該当者が思い浮かばない。

「リーディス殿下……？」

「そうだよ。そう言うお前は？　発言を許されてもいないのにいきなり僕の名を呼ぶなんて不敬だとは思わない？」

少年はあっさりと第二王子である事を認めると、高圧的な態度で話しかけてきた。

(彼がアーク様の政敵)

しかしリーディスはまだ十五歳の少年だ。彼は旗印に過ぎず、派閥の矢面に立って実際にアークレインを攻撃しているのは、生母のトルテリーゼ王妃と外戚のマールヴィック公爵である。

侵入者が王族となると何もできない。ニールとメイはその場に跪（ひざまず）いた。しかし二人ともリーディスに対する敵意と警戒をみなぎらせている。

エステルもまたその場でカーテシーすると、王族に対する正式な口上を述べた。

「ローザリアの若き太陽、リーディス殿下に改めてご挨拶申し上げます。エステル・フローゼスと申します」

「へえ……お前が兄上の婚約者か。顔を上げていいよ」

許しが出たので顔を上げると、リーディスはどこか人を小馬鹿にした表情でこちらを見ていた。顔はアークレインにそっくりだが受ける印象は全く違う。アークレインが紳士ならこちらは尊大で生意気なお子様だ。

「ふぅん、兄上が夢中だって言うから見に来たけど……普通だね。兄上はお前のどこに惹かれたんだろう」

アークレインが彼の事を甘やかされて育った我が儘な子供と評価していた理由がわかる。無遠慮にもじろじろと観察され、エステルはぐっと耐えた。これがもし身内の子供なら張り倒している。

「お前よりそっちの女官の方が面白いね。まさか認識阻害の古代遺物（アーティファクト）を使ったのに見つかるとは思わなかった。兄上はなかなか優秀な番犬を飼ってるみたいだ」

リーディスはメイの前に移動すると、彼女の顎を乱暴に掴み顔を不躾に観察した。

メイは無表情だ。しかし普段あまり揺らがない彼女のマナが陰ったところを見ると、第二王子の行動に不快感を覚えているようだ。

リーディスを感知したのはエステルなのだが、彼は誰よりも早く行動したメイが見つけたのだと勘違いしている。メイには申し訳ない気持ちになる。

それにしても認識阻害の古代遺物とは。木の上にマナは視(み)えるのにリーディスの姿が見えなかった理由がわかった。

(そんな強力な古代遺物をこんな子供が持つなんて……)

悪用すれば暗殺や窃盗など、様々な犯罪に使えそうな代物である。

「お前、名前は?」

リーディスはメイに向かって尊大な態度で尋ねた。

「メイベル・ツァオと申します」

「その名前にその顔立ち、お前、央(ヤン)系移民か」

「父が央の出身です」

「へえ……」

じろじろと値踏みするような視線がメイに向けられる。

「残念だな。移民じゃなきゃこっちに引き抜いてやっても良かったのに」

リーディスの祖父であるマールヴィック公爵は、移民の排除を訴える民族主義者として有名だ。

彼もまたその思想を受け継いでいるのかもしれない。

「僕のものにならない優秀な人間は潰す方がいいよね」

「っ、あああっ!」

不穏な発言と共にリーディスの右手からマナが放たれ、メイの右腕が不自然な方向に捻(ねじ)り上げられた。痛いのだろう。メイは顔を歪めて悲鳴を上げる。

マナが視えるエステルにはわかった。これはリーディスの念動力の仕業だ。

「殿下！　お止め下さい！」

ニールが割り込もうと立ち上がるが、リーディスのマナがニールを弾き飛ばした。

『覚醒者』に対して普通の人間は無力だ。エステルも『覚醒者』ではあるが、リーディスの念動力に対抗できるような異能ではない。

エステルは護身のために隠し持っていた魔導銃を抜いた。

「まさか僕を撃つつもり？」

「駄目ですエステル様！　お逃げ下さい！」

リーディスの挑発めいた発言もニールの制止も無視し、エステルは引き金を引いた。

ただし狙ったのはリーディス自身ではない。リーディスの右手からメイに向かって放たれているマナの波動だ。

「!?」

リーディスは目を見張った。

魔導銃はマナを弾丸として撃ち放つ銃だ。もしかしたらメイを苦しめるリーディスの念動力に干渉できるのではないかというエステルの推測は正しかった。リーディスのマナは魔導銃の銃弾によって断ち切られ、メイはだらりと右腕を下げた。

「本当に撃つとは……不敬罪に問われるよ？　その覚悟があるの？」

「さ、先に天秤宮に不法侵入し、この宮の女官と護衛官に異能で暴力を振るわれたのは殿下です……情状酌量の余地はあると思いませんか？」

驚いた表情を見せるリーディスをエステルは睨みつけた。

「正当防衛も主張致します！　女官と護衛官の次は私、そう思ったので威嚇射撃を致しました。お兄様の宮で傍若無人にも暴れた事が明るみになれば困るのは殿下も同じではありませんか？」

こんなの後付けのはったりだ。後先を考えるよりも先に、体が動いていた。

リーディスがエステルの非を主張したら、こちらの分が悪い。王族、ましてや王子を相手取るという事はそういう事だ。

「……未来の義姉上は意外に血の気が多い」

少し間を置いてからリーディスはぽつりと呟いた。

「興が削がれた。でもまあ、そういうところは悪くないね」

リーディスはふっと笑うと、地を蹴ってふわりと宙に舞い上がった。マナの流れでわかる。これは念動力による飛翔(ひしょう)だ。

「今日のところはこれくらいで引いてあげるよ。じゃあね義姉上。せいぜい兄上と共倒れしないようお気を付けて」

そう告げるとリーディスは気取った様子で一礼した。そして空中でくるりと方向転換したかと思ったら、強いマナの波動が発生し、その姿が掻き消える。

リーディスは念動力に加え、空間転移の異能も合わせ持つ極めて優秀な『覚醒者』として知られている。恐らくその転移能力を使ったのだろう。

「エステル様、なんて事を！」

自失から最も早く回復したのはニールだった。ニールはエステルに駆け寄ると、きつい口調で叱責してくる。

「あなたは我々の護衛対象です！　このような場合は我々を盾にしてお逃げ下さい！」

「逃げる……？」

「そうです、エステル様。私達は最悪の場合、あなたの肉の壁となるためにお傍に控えているのです」

メイもその場に座り込んだまま同調した。右腕が相当痛むのか、苦しげな表情を浮かべている。

「王族の『覚醒者』の前では我々は無力です。申し訳ありませんでした」

攻撃的な異能を持つ『覚醒者』に勝てるのは、同等以上の力を持つ『覚醒者』だけだと言われている。到底常人に敵う相手ではない。とはいえ。

（どうして謝られなければならないの）

二人に頭を深々と下げられ、エステルは泣きたくなった。天秤宮の職員と伯爵家の使用人は違う。それを突きつけられたような気がした。

伯爵家の使用人はほとんどが領民だ。領主の家に生まれたエステルにとって使用人は庇護対象でもあった。しかし、護衛官、女官、侍従——王室府に所属する職員は、ただ王族を守り仕えるためだけに存在している。

「私をお助けくださった事には感謝いたします。でも、次からはお逃げ下さい。とはいえ、これはエステル様に護衛対象としての行動をお伝えしていなかった我々の失点でもあります。大変申し訳ありませんでした」

「俺からも謝罪させてください。申し訳ございませんでした」

二人から口々に謝られ、エステルはいたたまれない気持ちになった。

◆　◆　◆

異能で捻り上げられたメイの腕は、侍医に診てもらったところ、幸い骨も腱も傷付かずに済んだようだ。

エステルは執務室に向かい、こちらに出仕していたクラウスに、リーディスが侵入した事を報告しに行った。彼はロージェル侯爵であると同時に、アークレインの補佐官を務める官僚でもある。

「まさかリーディス殿下がここに侵入するとは……」

一部始終を聞き終えたクラウスは深いため息をついた。

「エステル嬢、次からはこのような場合は逃げねばなりませんよ。今回はリーディス殿下が引いて下さったからよかったものの……」

クラウスもニール達と同じような事を言う。

「エステル嬢、今後ですが、アークレイン殿下がいらっしゃらない時は、なるべく天秤宮の中でお過ごし下さい。建物の壁には異能を弾く結界が組み込まれていますから、警備を増やす事で対応できると思います」

「そうなんですか？　私の異能は普通に使えていますけど……」

エステルの瞳は魔導具のマナも感知する。宮殿の建物になんらかの魔導具が組み込まれている事には気付いていたが、それが異能を弾く結界とは思わなかった。

「エステル嬢の能力はかなり特殊ですからね……常時発動型の異能なので結界の制限を受けないのかもしれません。アークレイン殿下の体に常に展開されているマナの障壁と同じですね」

「なるほど……」

「リーディス殿下の件はアークレイン殿下に緊急用の通信魔導具でお知らせしておきますので、エステル嬢は今日のところはお部屋でお過ごし下さい。この天秤宮で一番結界が厳重に敷かれているのは殿下と今エステル嬢がお使いになっている部屋ですので」

「……はい。それでは下がらせて頂きます」

エステルはクラウスに返事をすると、執務室を退出した。

（庭にすら自由に出られなくなるなんて）

エステルは肩を落としてため息をついた。

◆　◆　◆

今日もアークレインは遅くなる予定だと聞いた。

メイには大事を取って休んでもらった。リアの手を借りて入浴を終えたエステルは、一足先に共通の寝室へと入り、手持ち無沙汰に本を開いた。

(困ったな。全然頭に入ってこない)

何も考えずに読めるはずの軽い恋愛小説なのに。読んでも目が文字の上を滑っていく。

アークレインの部屋の方から足音が聞こえてきたのは、本を放り投げ、一足先にベッドに入ろうかと席を立った時だった。がちゃりという音と共にドアが開きアークレインが室内に入ってきた。

急いで帰ってきたらしく朝出かけた時の服装のままだ。今日は軍の式典に参加すると聞いていたので、漆黒の軍服姿である。

(確か二か月だけ士官学校に在籍していらっしゃったのよね)

アークレインは王族男子の慣例に従い、大学入学と同時に陸軍に入隊した。大学卒業後は士官学校での訓練を経て軍務に就く予定だったはずである。

しかし士官学校に入学してすぐサーシェス王が倒れ、アークレインは軍自体を退役する事になった。幸い国王は半年ほどで持ち直し、今では元気そうな姿を国民や貴族の前に見せているが、重大な疾患を抱えているのではないかとまことしやかに囁かれている。

一時的にでも士官学校にいた期間があるからか、アークレインの軍服姿は板についていた。

「エステル！　大丈夫だった!?」

アークレインは足早にこちらにやってくるとエステルの顔を覗き込んできた。

「私は何もされていません。リーディス殿下の標的になったのはニールとメイだったので……」

「さすがにあいつも君に手を出すのはまずいと思ったんだろう。しかしまさかこんな大胆な事をするとは……」

アークレインはため息をつくと、エステルの頬に触れた。手袋に覆われた指先はひんやりとしていてエステルは眉をひそめた。

「冷たいです。外は寒かったのではありませんか？」

「すまない。入浴もまだなのに触れてしまった。先に入浴して埃(ほこり)を落としてくるよ。もう遅いから先に眠っていてくれて構わない。リーディスには明日の朝一番で抗議をしておく」

アークレインはすっと身を離すと、自分の部屋の方へと戻って行った。

エステルは遠慮なく先にベッドに入る事にする。枕元の照明だけを残し布団の中に潜り込むと、魔導式の温石が入れられていて温かかった。


アークレインが戻ってきたのは三十分ほどしてからだった。隣に滑り込んできた彼の体からは、石鹸(せっけん)といつものベルガモットの香りがした。

ここで暮らし始めてからまだ数日しか経っていないのに、その香りにほっとする自分がいた。リーディスと不意に会ってからずっと緊張していたらしい。

「まだ起きてる？」

「はい」

妙に目が冴(さ)えて、眠れそうになくて困っていたところだ。返事をしながら体の向きを変えると、こちらを覗き込むアークレインのロイヤルブルーの瞳と目が合った。

ナイトウェアを身に着けてくつろいだ姿は相変わらず心臓に悪い。こんな姿を知っているのは限られた人間だけだと思うと優越感が湧き上がった。

「明日から五日間の休暇なんだ。年末から馬車馬のように働いたからね。首都から離れてみようか」

「どこかに連れて行ってくださるんですか？」

「うん。何かあったらすぐに戻らないといけないからあまり遠くには行けないけど、近場に行くくらいなら大丈夫。その間にリーディスは学校が始まるはずだ。カレッジの寮に入ってしまえばちょっかいを出す余裕なんてなくなるはずだ。馬鹿みたいに忙しくなるから」

リーディスが通うロイヤル・カレッジはエリート養成学校だ。彼はアークレインと常に比較されていて、兄以上の成績を取るよう周りから望まれている。

「他の『覚醒者』が何か仕掛けてくる可能性はありませんか……？」

「ないと言っていいいと思う。王族以外の『覚醒者』の能力は大した事ないし、王族の中であんな乱暴な真似をするのはあいつくらいだ」

ローザリアで現在公表されている『覚醒者』は八名いて、そのうちの五名が王族関係者だ。エステルは心の中で王家に連なる『覚醒者』の名前を挙げた。

（国王陛下にアーク様、リーディス殿下、そして元王族のマールヴィック公爵……）

アークレインの政敵で、リーディスの祖父でもあるマールヴィック公爵は、アークレインから見ても祖父の弟──大叔父に当たる人物である。エステルとはニューイヤーパーティーの席で顔を合わせている。

マールヴィック公爵はかなり高齢なので、ほとんど邸を出る事はないそうだ。

残る一人はアークレインの叔母にあたる人物だが、今は嫁ぎ先の都合で隣国に住んでいる。

「そもそも宮殿の敷地内で異能を使えばすぐ父上に感知されるのにあの馬鹿は……」

「えっ、そうなんですか？」

「王室は宮殿内のマナの流れを感知する古代遺物を所有しているんだ。だから下手に異能を使うとすぐ父上にばれる。リーディスが空間転移を使った事も、君が魔導銃を撃った事も間違いなく父上は把握している」

「それって私も叱られるのでは……」

「そもそもこの宮に不法に侵入したあいつが悪いから多分大丈夫だと思うけど……何か言われたとしても私が対応するから君は何も心配しなくていい」

顔を曇らせたエステルに向かって、アークレインはきっぱりと断言した。

「リーディス殿下は陛下に叱られるとわかっていてあんな事をしたんでしょうか……？」

「ああ。性質が悪いだろう？　職員の一人や二人を痛めつけたところで大した罪にはならない。しかも君を守るためとはいえメイはリーディスを攻撃している。あいつは狡猾だから、たぶんその辺りも計算に入れた上で異能を使ったんだと思う」

「そんな……暴君じゃないですか！　そんな人を次の王にしていいんですか？」

「あれで自分の身内には優しいからね。もう少し大人になった時に落ち着くのを祈るしかないかな」

アークレインは深く息をついて肩をすくめた。

「他の者からも言われたかとは思うけど、私からも改めて言わせてもらう。エステル、今日のように襲撃があった場合は、まずは自分の身の安全確保を考えるんだ。それが周囲の側近達を守る事にも繋がる」

「はい……」

「王族に仕える者は、最悪の場合身を挺してでも護衛対象を守るように教育されている。守られる者としての行動の仕方は改めてレクチャーするとして……お礼は言わせてもらうよ。メイベル・ツァオを守ってくれてありがとう」

頭を下げられ、じわりと胸が熱くなった。

「それはそれとして、明日からは君に異能の伸ばし方を教えるよ。君の感知能力が上がれば、もっと早くリーディスの接近に気付いて逃げられるかもしれない」

「そんな事できるんですか？」

「王族には『覚醒者』が生まれやすいからね。異能を鍛える方法が代々伝承されているんだ。試してみる価値はあると思わない？」

「それは……そう思いますけど、私に教えてもいいんですか？」

「本来は父上にお伺いするべきなんだろうけどね……君は私の婚約者で未来の王子妃だからね。君の能力が上がれば私にも役に立つから構わないという事にする」

アークレインはそう言って悪戯っぽく微笑むと、エステルの髪を梳くように撫でた。

「薄くなってきたね、痕。そろそろ付け直した方がいいかな？」

囁きと共に胸元に視線が注がれているのに気付き、エステルは反射的にナイトウェアの胸元をかき合わせた。今日もナイトウェアのデザインは煽情的だ。いくら抗議してもリアもメイも普通のナイトウェアを着せてくれないので、最近ではもう諦めている。

「ま、まだいいんじゃないでしょうか。うっすら残ってますし」

「でも新たな痕を作っておかないと、寵愛が薄れたって言われてしまうかもしれないよ？　私が君を大切にしているという事を示すためにも付け直しておいた方がいいと思うんだけど」

エステルは頬を染めて俯いた。

この宮に仕える職員がエステルを尊重するのは、アークレインの演技のおかげだ。小道具として口付けの痕が有効なのはわかる。だけどすごく恥ずかしい。

「もっと先に進んでもいいけどどうする？　お腹とか太ももとか、どうせ痕をつけるなら際どい所に付けた方が……」

「胸でお願いします！」

エステルは恥ずかしさのあまりアークレインの言葉を遮った。そしてしまったと後悔する。

「ふ、服は脱ぎませんから……それと、見えにくい所にお願いします……」

消え入りそうな主張にアークレインのマナが楽しげに明るく瞬いたかと思うと、クスクス笑いだした。

「ちょっとからかうだけで真っ赤になって。エステルは可愛いね」

いい子いい子をするように頭を撫でられ、エステルはいつもの意地悪をされた事に気付いた。

「アーク様の馬鹿！」

エステルはナイトウェアの胸元を押さえたままアークレインに背を向けた。背を向けても楽しげなマナの輝きが感じ取れるので、余計に腹立たしかった。

◆ ◆ ◆

すうすうと隣から寝息が聞こえてきて、アークレインはエステルの寝顔を覗き込んだ。

すぐ傍にいるのは健全で健康な男だというのに、いつもながら呑気なものだ。もっともこの状況を彼女に強いているのは自分なのだが。

アークレインは寝付きが悪く眠りが浅い。質がいいとは言えない短時間の睡眠でも問題なく活動できるのは、元々そういう体質なのだろう。この体質のせいでアークレインはまだエステルに寝顔を見せた事がなかった。まるで野生動物だ。子供の頃からの油断できない環境がこの体質を作ったのだろうと自己分析する。

無防備に眠る女の姿に、襲ってやろうかという考えがちらりと頭の中をよぎるがすぐに打ち消す。ここまで回りくどく積み上げてきた信頼を崩すべきではない。手を出すにしてもせめてもう一、二か月経ってから、真正面から誘った方がきっと効果的だ。

これは自分のものだ。エステルの寝顔を前に改めて実感する。

天秤宮に迎え入れた事で、どうやらそういう認識がアークレインの中に芽生えたらしい。リーディスが彼女にちょっかいを出したと聞いて湧き上がった感情は、そうとでも考えなければ説明がつかない。

（あのクソガキ）

アークレインは心の中で普段は絶対に使わない汚い言葉で異母弟を罵った。

リーディスは周囲に甘やかされたせいで、我が儘で自己中心的に育った子供だ。その一方で、アークレインと常に比較されてすっかり歪んでしまった。アークレインにとっては事あるごとに突っかかってくる面倒な存在である。

八歳の年齢差は大きい。おまけにアークレインは、何をやっても人並み以上にできてしまう人間だった。本気で能力を示せば暗殺の脅威が増しそうだったので適度に手を抜くようにはしていたものの、カレッジの授業は甘くない。リーディスは今、大変な思いで必死に成績を維持しているようだ。

血統に特殊な空間転移の異能――リーディスの方が勝っているのに、あれはなんでも一番でなければ気が済まない性格で対抗心の塊だ。常にアークレインをこき下ろす材料を探しているから、大方エステルの粗を探すためにこの宮に忍び込んだのだろう。

あのクソガキは、エステルの事を普通と評価した後で、気の強いところは嫌いじゃないと言い放ったと聞いた。それがやけに癪に障る。取るに足らない女と評価されるのがベストだったのに。何故魔導銃で反撃などしたのか。

メイベル・ツァオは使える駒だ。それを助けた事は評価に値するが、あれに目を付けられたかもしれない事は頂けない。幸い、異能については見咎められなかったようだが、あれがカレッジに戻るまでの間はエステルを隠しておきたい。

休暇の間どこに身を隠すか算段しながらエステルの顔を見ていると、気持ちよさそうな寝顔になんだか腹が立ってきた。

今殺気を出したらエステルはどうするだろうか。不穏なマナを察知して起きるだろうか。

ふと思い立ち、アークレインは枕元に隠してある短剣を取り出し鞘から抜いた。これは初めて一緒に眠った時に初夜を偽装するために使ったマナブレードである。

エステル相手なら剣身にマナを通すまでもない。ただ白刃をエステルの喉元に突き付け、殺意をぶつけてみる。

暗闇の中、エステルの双眸が唐突に大きく開いた。

「……！」

アークレインの手に、わずかに反発するような力が働いた。

（これは……）

念動力、という単語が脳裏に浮かんだ。『覚醒者』は時に付加的な異能に目覚める事がある。

刃を留めるように働いた微弱な斥力。それはあまりにもか細かったが、アークレインの殺意を消滅させるには十分だった。

「アーク様……一体何を……」

完全に目が覚めてしまったらしいエステルは、短剣を凝視して「ヒッ」と悲鳴を上げた。

「ちょっとしたテストをしようと思って。眠っていても君が警報装置として機能するのか」

短剣を鞘に納めながら答えると、エステルは深く息を吐いた。

「心臓に悪いからもうしないでほしいです」

エステルはアークレインにそう告げると、何かをこらえるような表情で目を逸らした。

「起こしてごめんね。良い夢を」

髪に触れると、エステルはピクリと身を硬くした。震える体と引き結ばれた唇からは、怒りと警戒が伝わってくる。

（それでも声を荒らげて怒る事はない、か）

可哀想にと思う一方で、何故か満足感を覚える自分がいた。

七章　空に希う

「キルデアとアルスター、どっちがいい？」

朝食の席でアークレインに尋ねられ、エステルはぱちぱちとまばたきをした。

「なんのお話ですか？」

「昨日の夜に話したよね？　今日から五日間まとまった休みだって。外出先の候補だよ。どちらも首都から馬車で二、三時間くらいの所にある」

……と言われても、地理が苦手なエステルには、その二つがどこにあってどんな特色があるのか、ぱっとすぐには思い当たらない。

「あの、恥ずかしながら不勉強で、どのような土地なのか見当もつかないのですが……確かアルスターは温泉地でしたっけ？」

「正解。キルデアは南の港町で海産物が美味しい所だね。どちらも保養地で、私が所有するコテージがある」

「お魚と温泉ですか？　迷いますね……」

山間地で育ったエステルにとって、新鮮な魚は滅多に口にできないものである。しかし温泉も捨て難い。お風呂が大好きなエステルにとって、サウナまで付いている天秤宮の入浴設備は楽園だった。

命の危険さえ無ければ最高の生活環境である。

「出掛けるのが億劫（おっくう）ならここで過ごしても……と思ったけど、その様子だと外出で決定だね。どちらか決まったら教えて」

「アーク様はどちらがいいですか？」

「私？　正直どちらでも構わないんだけど、この時期ならキルデアの方がいいかもしれないな。確か次の日曜日に、海にスカイランタンを飛ばすお祭りがあるはずだ」

スカイランタンというのはその名の通り空を飛ぶランタンだ。それが海に向かって飛ぶ様子は想像するだけでも幻想的である。

「是非見てみたいです」

エステルが目を輝かせると、アークレインは目を細めて頷いた。

「わかった。じゃあ、今から向こうの管理人に連絡しておくから、エステルは午前中の間に出発できるよう準備をしておいて」

午前中は慌ただしくなりそうだ。しかし、小旅行の計画に自然と心は高鳴った。

◆　◆　◆

着替えや化粧品等の身の回りのものに、やりかけのマントの刺繍、暇つぶし用の本。キルデアに向かう準備はほとんどメイとリアがやってくれた。

向こうには最低限の護衛だけを連れて行き、のびのびと過ごす予定だ。仰々しいドレスを着るつもりはないので、アークレインやエステル付きの侍従や女官には留守番という名の休暇を与える事になった。

「初めてのお二人でのご旅行ですね！　楽しんできて下さいね」

実情を知らないリアから純粋に祝福され、エステルは苦笑いをした。

現地まではお忍び用の馬車で行く予定で、同行する王室護衛官（ロイヤルガード）は馬を使う。エステル付きの護衛官からはネヴィルが同行し、残りはアークレイン付きの護衛官から選抜された。ニールが留守番なのは、リーディスが天秤宮に侵入した際、エステルの身を危険に晒した懲罰的人事のようだ。

馬車はお忍び用と言っても王家の紋章が付いていないだけの高級品で、以前移動遊園地に行った時とは違って上流階級の小旅行という雰囲気だった。

内装はかなり豪華で、座席の座り心地は紋章付きの正規の馬車とほとんど変わらなかった。気密性も高く、魔導具の空調設備も付いている快適仕様だ。

アークレインは紳士的で、乗り物酔いし辛い進行方向にエステルを座らせてくれた。これがシリウスならコイントスによる席の取り合いが発生する。エステルが兄の子供っぽさを実感していると馬車が動き出した。

「今から異能の訓練をしようと思うんだけどいいかな？」

「あ、はい。馬車の中でもできるんですか？」

「うん。暇さえあればできるよ。マナが視（み）えるエステルなら案外簡単に習得できるかもしれない。

今からやってみるから私のマナの流れを視てほしい」

アークレインは目を閉じると深呼吸を始めた。すると、アークレインの体の中のマナが緩やかに体の中を動き始めるのが視えた。

マナの発生源はどの生き物も心臓である。これは、心臓の中にマナを貯える機能があるからだと考えられている。

非常に多いアークレインのマナもその根源は心臓だ。よく視ると、心臓から発生した銀色の光が胴体から左手へ、左手から頭を通って右手へ、そして胴体に戻り次は両方の足へ。最後は元の場所に戻っていった。

「視えたかな？」

「全身にマナを循環させた、という事で合っていますか？」

「うん。普通の人はマナなんて魔導具を使う時くらいしか意識しないと思うんだけど、それを意図的に体の中で循環させるんだ」

確かに言われてみるとその通りだ。そもそも魔導具を使う時は、中に組み込まれている魔導石に触れれば勝手にマナが吸収されて起動する。体の中で動かしてみようだなんて思ってみた事もなかった。

「これが基本なんだけどできそうかな？」

「……やってみます」

答えるまでに間があったのは自信がなかったからだ。

一般的な貴族のマナの量は上半身の胴体部分を覆う程度で、エステルのマナもそれくらいだ。それを頭から下半身まで行き渡らせて、更に循環させる——果たしてそんな事ができるのだろうか。

（動け）

エステルは俯き、自分の心臓を確認しながら念じてみた。

「………」

動かない。

（動け！　動きなさい！）

眉間に皺を寄せて力いっぱい念じても、心臓のマナはぴくともしなかった。

「……マナって本当に動くものなんですか？」

「エステルならできるかと思ったんだけど……うーん、やっぱり視えるってだけじゃ無理か。上手く行くかどうかわからないけど補助を試してみよう。隣に移動するね」

アークレインはそう断ってから立ち上がった。エステルは座席の中心から右にずれて、アークレインが座る場所を作る。

「手に触れるよ」

アークレインは手袋を外すと、エステルの両手に手の平を重ねてきた。

「今から私のマナを君の体に流す。人によっては酷い拒否反応が出る可能性があるけど覚悟して」

え、と思う間もなかった。繋がれた手からアークレインのマナが流れ込んでくる。

「ひっ……」

ぞわぞわとした感覚にエステルは悲鳴を上げた。全身に鳥肌が立つ。

「嫌っ！　無理！　離して！」

涙目になりながら手を振り解こうとするが、がっちりと捕まえられて逃げられない。

「いや、この程度の反発ならいけそうだ。もう少しだから我慢して」

そう告げるアークレインのマナは楽しげに輝いていた。意地悪をして楽しそうにする時に似ていて、エステルは涙目になった。この王子様には嗜虐的な性癖があるに違いない。

手の平から入り込んでくるアークレインのマナが全身を侵食していく。

「っ、やだぁ……」

体の中を小さな虫が何匹も這い回るような不快感にエステルは悲鳴を上げた。いやいやをするように首を振ってもアークレインは許してくれない。

両手から入り込んできたマナは全身を駆け巡り、心臓に到達する。

そして、ずるりと何かが引き出される感覚があり――。

そのあまりのおぞましさに、エステルは意識を手放した。

◆　◆　◆

次に気が付いた時、エステルの視界に入ってきたのは、馬車の外をじっと見つめるアークレインの上半身と麗しい顔だった。

(何⁉　どういう状況⁉)

混乱したエステルが身動ぎすると、アークレインはこちらを上から覗き込んでくる。

「良かった。気が付いた。ごめん、ちょっと強引だった」

(近っ！　いえ、それよりも、頭の下に何か温かいものが)

これはもしやアークレインの脚、なのでは……？

周囲を見回し状況を把握してエステルは硬直した。

アークレインに膝枕をされている。しかも体にはブランケットと合わせて彼のコートが掛けられていた。

(わ、私、変な顔で寝ていたのでは……いえ、それよりも)

アークレインの服を汚してないだろうか。よだれを垂らしていなければいいのだが。

さあっと青ざめたエステルは、がばりと身を起こすとアークレインのトラウザーズを触って確認した。よかった。大丈夫みたいだ。

「……意外に大胆だね」

頭上から降ってきた声に、かあっと顔が熱を帯びた。

(私、なんてはしたない事を)

「も、申し訳ございません！」

男性の下半身にぺたぺたと触れてしまった。慌てて謝ると、額にアークレインの手が伸びてきた。

「熱は無さそうだね。それだけ動けるなら気分は悪くないと判断してもいいのかな？　覚えてる？

私が君に強引にマナを流したせいで君は気を失ったんだ」

「あ……」

アークレインの言葉に直前の記憶が戻ってきた。

「アーク様、酷いです！　気持ち悪いからやめてって言ったのに！」

「ごめん、そこまで酷い反発じゃなかったからいけると思って……」

「なんのためにあんな事したんですか……」

他人のマナが体の中に入り込む感覚はものすごく気持ち悪かった。思い出すだけで鳥肌が立つ。

キッと睨みつけると、アークレインにしては珍しく申し訳なさそうな表情を見せた。

「マナを循環させるための経路を覚えてもらうために……まさか気を失うとは思わなかった」

答えながらアークレインは床に落ちたブランケットとコートを拾うと、エステルの膝にかけてくれた。起き上がった拍子に落としてしまったらしい。

「あの、アーク様、目が覚めたのでこちらは大丈夫です。お返しします」

エステルはコートをアークレインに手渡した。コートを受け取ったアークレインは一旦立ち上がるとエステルの向かいに座り直す。エステルもまた姿勢を正した。

「私、一体どれくらいの時間眠っていたんでしょうか？」

エステルが尋ねると、アークレインは懐中時計を取り出してこちらに見せてくれた。

「一時間ちょっとってところかな」

（そんなに……）

「気分はどう？　体に何かおかしい所はない？」

アークレインに尋ねられ、エステルは全身を点検した。

「特に問題はないと思います。強いて言えば少し胸のあたりがポカポカしているような……」

「そっか。今ならもしかしたら体のマナが動かせるかもしれないね」

エステルは胸元に視線を落とした。マナが銀色の光となってぐるぐると渦巻いている。

「試してみます」

そう宣言し、エステルは目を閉じた。左手を心臓の上に添え、深く呼吸する。

(動け)

胸元の温もりに命じると、かすかに何かが動くような気配があった。

だけど、それを更に動かすのはとても難しい。

(動いて……もっと……)

強く念じてもほんの少し動かすのが精一杯だ。

エステルはアークレインのマナが侵入してきた感覚を思い出した。気を失う寸前に感じた、何かが引き出される感覚。あれは恐らく経路とやらをこじ開けられたために発生したものだ。

その位置はなんとなく覚えている。だけどなかなかそこまでマナを持っていけない。

不意にがたりと馬車が揺れた。道に溝でもできていたのだろうか。残念ながらそのせいで集中が途切れてしまった。

「……上手くできた？」

目を開いたエステルに気付いたのかアークレインが声をかけてきた。

「難しいですね。ほんのちょっとだけマナが動いた感じはありましたが……循環するところまで持って行ける気がしません」

「訓練を始めたばっかりはそんなものだよ。動く感覚があるのなら上等かな。私もそうだった」

「マナが体の中を循環するようになったら、異能も強くなるんですか？」

「間違いなく強くなると思うよ。地道に訓練を繰り返す事でマナは増えるし、制御力が上がって効率よく力が使えるようになる」

「マナって増えるものなんですか？」

「増えるよ。と言っても訓練で増える量は限られる。……本来なら国に『覚醒者』だと届け出ていたらとっくの昔に教えられている事なんだけどね」

「……私は異能について全然何も知らなかったんですね」

「そうだね。でもそれはこれから知っていけばいい。幸い、ある程度は私から教えられる」

アークレインはそう言ってエステルに微笑みかけた。頼もしさが感じられる自信に満ちた笑みだ。

「王室では『覚醒者』とは、魔導具に頼らず体内のマナを引き出し特殊な技能を行使する者、と定義している。マナを行使した時に発現する結果は様々だ。代表的なものは念動力。今ローザリアで確認されている『覚醒者』の能力のほとんどはこれだ。リーディスは念動力に加えて空間転移の異能が使える。過去には火を出したり、箱の中にあるものを透視する異能を発現させた『覚醒者』もいたらしい」

発火能力と透視能力だ。聞いた事がある。それ以外にも精神感応や読心、遠視など、歴史の中では様々な異能の持ち主の存在が記録されている。

アークレインは自分の袖口からカフスを外した。そのカフスは、エステルに渡された魔導具の指輪と対になっているものである。

カフスを手の平に載せると、アークレインは心臓のマナをゆっくりと手の平へと移動させた。そして手の平からマナが放出されると、ふわりとカフスが浮き上がる。念動力だ。アークレインは器用にマナを操作すると、カフスをくるくると回転させた。

「私の場合は、こんな風に心臓から手の平にマナを放出すると念動力が発動する。かつて透視能力を持っていた者は、目からマナを放出する事で、箱や建物の中を見通したらしい。でもエステルは望んでいないのに常時マナが視えてしまうんだよね？」

「はい」

「これは仮説になるけれど、エステルの場合、異能が覚醒した時に心臓から目の間にマナを通す経路が自覚しないまま通ってしまっていて、マナが垂れ流しの状態になっているんじゃないかなと思うんだ。マナの循環を通してその経路を見つける事ができれば、異能を使う使わないの選択ができるようになるかもしれない」

それは猩紅熱で倒れ、異能に目覚めてからずっと願っていた事だ。

「もちろん期待できる効果はそれだけじゃない。意図的にマナを目に流せるようになれば、能力の範囲が広がる可能性がある。確か前に、目で視認できない場合の感知範囲は自分を中心とした半径五メートル程度だって言ってたよね？」

「ええ。そのくらいです」

「その感知範囲がもし倍に広がったとしたら、かなり有用性が広がると思わない？　建物の上下階に潜む不審者を確実に感知できるようになるし、火災や土砂災害の現場などで、遠く離れた安全な場所から生存者を探す事も可能だ」

エステルは目を見張った。災害現場で自分の異能を使おうと考えた事などなかったからだ。

去年、フローゼス伯爵領は長雨で大きな被害を受けた。洪水と土砂災害で何人もの領民が犠牲になっている。エステルにもっと想像力があれば、現場に駆け付けて領民を救出できたかもしれない。

「私……どうしてそこに思い至らなかったんでしょうか」

感情が見えてしまうわずらわしさばかりに気を取られ、異能が役に立つ可能性に気付いていなかった。

「これから役に立てていけばいい」

「そう、ですね……今の立場では天災が発生した現場に行くなんて、なかなかなさそうですが……」

「私の理想は王ではなく、適当な王家直轄領を貰って地方領主としてのんびり過ごす事なんだ。もしそうなったらエステルは領主夫人だね。災害の時には確実に戦力になる」

「不確定な未来のお話ですね。でも、そうですね……そうなったらいいですね」

宮殿を出て地方の領主に。それはエステルにとっても理想的な未来だ。だけど果たして、王妃とマールヴィック公爵がそんな未来を許してくれるのだろうか。

リーディスが王になった場合、アークレインはその正統性を脅かしかねない存在となる。古今東西の歴史で、自分以外の王族を処刑し玉座に座った残酷な王の話はいくつも存在する。

たとえ兄弟でも、利害が絡めば他人以上に争う事はよくある話だ。もしかしたら、シリウスとエステルのような良好な兄妹関係の方が珍しいのかもしれない。エステルは兄の顔を思い出すと物憂げな息をついた。

◆
◆
◆

同時刻、首都、某所——。

そこでは、薄暗い室内に何人もの人が集い、紫煙（しえん）を燻（くゆ）らせていた。

彼らが楽しんでいるのは、ガンディアやアナトリアといった高温多湿の地域で誕生したと言われる水煙草だ。縦に長い形状の美しい硝子（ガラス）瓶からは細長い管が伸びており、管から瓶の中身を吸い込むと、スパイスやバニラエッセンスが混ざった甘い香りと共にひんやりとした煙が喉を通り、頭の中がすっきりと冴え渡る。

『彼』がそこを訪れるようになったのは、環境が大きく変わった事によるストレスを学生時代の悪友に愚痴った事がきっかけだった。

——普通の煙草（シガー）よりも、より強い刺激が得られるものがあるけど試してみるか？

そう誘われ、軽い気持ちで『そこ』に足を踏み入れた青年は、すぐにその虜（とりこ）になった。

室内には、東洋的（オリエンタル）な調度や陶磁器が飾られており、水煙草の独特な香りもあいまって、中にいると異国を訪れたかのような錯覚を覚える。

何もかも忘れたい。戻れるなら過去に戻りたい。

現実の憂さを晴らすため、彼は今日もそこを訪れる。

水煙草の中に入っているものがなんなのか、深い疑問を抱かないまま――。

◆
◆
◆

エステル達の乗る馬車がキルデアに到着したのは、午後三時を少し過ぎた時だった。

街に到着する十分ほど前から海が見え始め、エステルの気持ちは浮き立った。山間部で育ったエステルには海は珍しい。

ここに来る道すがらアークレインが教えてくれた。キルデアは元々静かな漁村だったが、三十年ほど前に海軍の基地が作られて、士官の親族が訪れるようになった事で急速に発展した街らしい。

この街の温暖な気候は、冬の保養地として多くの訪問者を魅了した。スカイランタンを飛ばすお祭りも、観光客の誘致のために始めたもののようだ。

海沿いの緩やかな丘陵地帯には、古い石造りの建物が立ち並び、まるで絵本から飛び出してきたかのような街並みが広がっていた。馬車の窓を開けると潮風が吹き込んでくる。

この小旅行は三泊四日の予定だ。アークレインの休暇は五日間だが、公務への負担を考えて一日早く戻る事にした。お祭りのある日曜日は明後日で、スカイランタンもしっかり見られる理想的な日程である。

　今回滞在するのは、アークレインが個人的に所有しているという小さなコテージだ。富裕層の別荘が立ち並ぶ浜辺の一角に建てられており、エステルの異能の瞳には、外壁に宮殿と同じような結界魔導具が組み込まれているのが視えた。

　コテージの玄関口には管理人だという老夫婦が待機していた。二人とも髪に白いものがかなり交じっているが、背筋がピンと伸びて矍鑠（かくしゃく）としている。

　エステルをエスコートして馬車から降り立ったアークレインは、夫の方に話しかけた。

「久しぶりだね、ジャック」

「こちらこそお久しぶりです、殿下。こちらの可愛らしいお嬢様が、婚約者にお迎えになったエステル様ですね。おめでとうございます」

　ジャックと呼ばれた老人は、エステルに向かって柔和に微笑みかけてきた。

「エステル、ジャックは昔天秤宮で料理長として働いていたんだ」

「初めまして、エステル様。こちらの管理を務めておりますジャックと申します。こちらは私の妻のサラです。こちらに滞在中のお二人のお食事は、僭越（せんえつ）ながらこの私が腕を振るう予定です。よろしくお願いいたします」

「サラです。よろしくお願いいたします」

　アークレインの紹介の後、ジャックとサラは揃ってエステルに礼儀正しく挨拶をした。その表情にもマナにも尊敬と親愛が溢れていて、エステルは二人に好感を持った。

「殿下には宮を退官した後、余生を過ごす場所としてこちらの管理をお任せいただいたんですよ」

「殿下には夫婦共々感謝しております。さあ、お部屋にご案内しますね」

サラに案内された部屋は、コテージの二階にある寝室だった。

「やっぱり同室なんですね」

「溺愛しているという設定はここでも貫いておきたいからね。どこでボロが出るかわからない。それに天秤宮と比べるとどうしても警備が手薄になるから、君は私の傍にいた方がいい」

サラが居なくなってから思わず呟くと淡々と説明された。

全てはエステルを警報装置として使うため。彼に惹かれつつある心は、愛される素振りを見せられる度に悲鳴を上げる。

「ここのベッドは狭いし宮殿の中と違って人目は少ないから同衾(どうきん)まではしなくていいよ。私はソファで眠るから君はベッドを使うといい」

確かに建物自体が小さいせいか、寝室自体もベッドも宮殿に比べるとコンパクトだ。王子様をソファで寝かせるという事に気は引けたものの、たまには一人で眠りたい。

「そんな事を仰るなら本当にソファで寝て頂きますよ」

「構わないよ。士官学校のベッドに比べればどこだって天国だ」

アークレインが浮かべる穏やかな微笑みは最近では胡散臭く感じる。エステルは目を逸らすと窓際へと近付いた。

ルーフバルコニーに繋がる大きな窓からは海が一望できてとても綺麗だった。バルコニーには階段が取り付けられていて、プライベートビーチに出られるようになっている。

「散策にでも行く？　それともお茶を用意してもらおうか？」

「……折角なので暗くなる前に外を見て回りたいです」

「わかった。じゃあ行こうか」

こちらに差し出された手にエステルは指先を重ねた。


ルーフバルコニーに出ると、波の音が聞こえ、強い潮の香りがした。

エステルはアークレインに手を引かれると、バルコニーの階段からプライベートビーチに下り立ち浜辺を散策する。

砂浜にはヤシの木が生えていて、白い砂と青い海とのコントラストが美しく、まるで南国に来たかのような錯覚を覚えた。

「綺麗な所ですね」

「うん。ここを買ったのは景色が気に入ったからなんだ」

そう告げるアークレインはどこか得意気だった。

「お金持ち自慢ですか」

「そうだね。何かがあって外国に逃げる事になったとしても、エステルを困らせない程度には持ってるよ」

「えっ……」

エステルが驚いてアークレインの顔を見上げると、アークレインは静かに海を見つめていた。

「品位保持費とは別に母上から受け継いだ個人資産があるんだ。それを元手に投資して得られた利益をフランシールとアスカニア、それと新大陸の銀行に分散させて預けている。正式に結婚したら目録を渡す。私に何かあったらそれは君のものだ」

「不吉な事を仰いますね」

「本当に身の危険を感じたらさっさと逃げる予定ではあるけどね。最悪の想定はしておいた方がいい」

「そんなに隠し資産があるなら、何もかも捨てて逃げればいいのに」

「流石に今の段階でそれはできないよ。私には王族に生まれた責任がある。だけど時々思うよ。準貴族あたりの身軽な立場に生まれたかったなあって」

「そこは平民じゃないんですね」

「労働するのが嫌な訳ではないけれど、収入を考えたら頭脳労働で食べていきたいからね」

弁護士、医師、会計士、聖職者、学者――それらの職に就くためには大学への入学が必須だ。そして大学に入学するには子供の頃から家庭教師を付け、かつ学費を捻出するだけの経済力が必要になる。すると必然的にそのような職に就けるのは、貴族の家を継げない次男以下や準貴族など、富裕層の子弟に限られる。

「シリウスの立場も結構理想的だね。北は自然環境が厳しいけれど、中央と距離を取りやすい。それに、君達兄妹を見ていると温かい家庭で育った事がよくわかる」

アークレインは一度言葉を切った。

「……君は私の求婚を嫌がっていたけど、私も好きで王族に生まれた訳では無いんだよ」

じっと海を見つめる彼の眼差しはどこまでも透明で凪いでいた。陰るマナから読み取れる感情は
——怒りと哀しみだろうか。

本音をさらけ出されて胸が締め付けられた。強引にエステルを中央の政争に巻き込んだ事は許せない。だけど。

この方も犠牲者なのだ。母親を幼くして亡くしただけでも悲劇なのに、その後国王が後妻を迎え寵愛したせいで、生まれ持った至尊の冠を奪い取られようとしている。

この人の力になりたい。アークレインと出会って初めてエステルはそう思った。

◆
◆
◆

翌日、エステルはベッドから起き上がれなかった。ここに来て疲れがどっと出たのか、熱を出してしまったのである。

（なんでよりによって今……）

折角の旅行なのに。しかも明日はお祭りがあるのに。

昨日までは凄く楽しかったのだ。ジャックが作ってくれた新鮮な海の幸をふんだんに使った食事

は美味しかったし、アークレインをソファに追い出して久しぶりにのびのびとベッドで眠れた。窓から見える海も綺麗で、慣れない宮殿生活で疲れた心が癒やされた。

今日は何事もなければ街に出て、色々な屋台や露店を巡るはずだった。豊漁祈願祭という名目で行われるスカイランタンを飛ばすイベントを控え、街は華やかに飾り付けられて沢山の出店で賑わっているらしい。

（アーク様の足を引っ張ってしまったわ）

アークレインはエステルを気遣ってか街には出ず、コテージの中で過ごしている。熱が無ければ今頃は楽しく街を見物していただろうに、巻き添えにしてしまった事がひたすらに申し訳なかった。

そのアークレインは隣の寝室へと移動している。医師によると過労の可能性が高いという診断だったが、もし風邪だった場合、移してしまう可能性があるので部屋を分けたのだ。

エステルの体調不良で得をしたのは、旅行に随行した護衛官達かもしれない。警護対象の二人がコテージに引き篭もっているので、交代で街に繰り出す許可を与えたらしい。護衛官達は申し訳なさそうにしていたが、こういう特別な休暇は労働意欲に繋がると思うのでエステルに否やはなかった。

「エステル、入るよ」

浅い眠りを繰り返していると、ノックと共にアークレインがトレイを片手に入ってきた。

「カモミールティーを持ってきたよ。飲めそう？」

エステルはベッドから身を起こす。途端にくらりと目眩がして頭を押さえた。

「大丈夫？　辛いなら横になっていたほうがいい」

「大丈夫です。少しくらっとしただけなので」

エステルは力なく微笑むと、アークレインからカップを受け取った。すると甘くて落ち着く香りがふわりと鼻から入ってくる。

「ありがとうございます。ちょうど喉が渇いていたんです」

「うん。水分はきちんと摂った方がいい。温石も持ってきたよ。温石には私のマナを入れてあるから丸一日程度はもつと思う」

アークレインは魔導式の温石を布団の中に入れてくれた。熱のせいで寒気がするのでありがたかった。

「宮殿でゆっくりした方が良かったかな？」

「申し訳ありません……折角お祭りのためにここに連れてきて下さったのに」

「好きで倒れる人はいない。ゆっくり休みなさい」

優しくされると自分の不甲斐なさに泣きたくなる。

「あの……もし明日になっても熱が下がらなかったとしても、私に遠慮なさらないで下さいね」

「残念ながら男一人で行くような所じゃないよ。それよりも今はしっかり休んでほしい」

アークレインはこちらに向かって穏やかに微笑みかけてから寝室を出て行った。

エステルはまだ中身が残っているカップの水面を見つめ、深いため息をついた。

◆　◆　◆

医師に処方された薬湯が効いたのか、エステルは昏々と眠り続けた。

食事の時間になると、サラが追加の薬湯や食事を持ってきてくれる。

折角海の近くに来たのに食欲がないため、消化の良い病人食のようなものしか喉を通らないのが悲しい。出された麦のお粥には、海の幸で取ったスープが使われていたが、オイル漬けやフライなど、もっと色々な料理が食べられるはずだったのに。

悔しい思いをしながらも浅い眠りと覚醒を何度も繰り返した結果、マナによる自然回復も働いたのか、どうにか翌日の夕方には熱が下がり、少しの間なら体を起こせるようになった。

冬の昼は短い。まだ五時を少し過ぎたくらいだが外は既に真っ暗だ。今頃街ではスカイランタンに備えて人でごった返しているに違いない。

街の様子を想像しながらベッドの中でぼんやりしていると、サラが食事を持ってきた。

トレイにはトマトベースの具沢山なスープに白く柔らかなパン、カスタードプディングが載っている。

「お昼に食欲が戻ってきたと仰っていたので、品数を増やしてみましたが食べられそうですか？」

「大丈夫だと思うわ。ありがとう」

エステルはトレイを受け取ると、ベッドに座ったまま食事を始めた。

「エステル様は殿下に大事にされていらっしゃいますね。自分だけ良い物を食べる訳にはいかないと仰って、昨日から同じ物を召し上がっていらっしゃるんですよ」

「え……？」

思いもよらないサラの言葉にエステルは瞠目した。心臓がどくりと跳ねる。

昨日からのエステルの食事は、成人男性が食べるには明らかに物足りなかったはずだ。

「……教えて下さってありがとうございます。サラ、殿下は優しい方なんですね」

「ええ、ご縁があって殿下にお仕えできて、私も主人も本当に有り難い事だと思っているんですよ。その殿下に大切な方ができて本当に良かった」

ニコニコと嬉しそうなサラの様子に息苦しさを覚える。

大切にはされている。でもそれは皆が思っているような意味ではない。

「それでは私は一旦下がらせていただきますね。また後ほど食器を取りに参ります」

そう告げると、サラは一礼して部屋を出て行った。

エステルは物憂げな視線を食事に向けると、スプーンを手に取った。

◆◆◆

「エステル、起きてる？」

アークレインが顔を出したのは、食事を終えて持参した本を読んでいる時だった。

「アーク様……昨日から私と同じ食事を摂られていたというのは本当ですか?」

「私も実はちょっと風邪気味で、あまり重いものを食べたい気分ではなかったんだ」

絶対に嘘だ。だけど優しい嘘に心が揺れる。

「随分顔色が良くなったように見えるけど気分はどう? 起きていても平気?」

「はい。まだだるさは残っていますが、体を起こすくらいは大丈夫になりました。順調に良くなっていますので予定通りに帰れると思います」

「日程には余裕があるから滞在が一日伸びても大丈夫だよ。だから無理だけはしないでほしい」

「お気遣いありがとうございます」

エステルが礼を言うと、アークレインはエステルに微笑みかけてからクローゼットへと移動した。

「アーク様、一体何を……」

戸惑うエステルをよそに、アークレインは彼女の防寒着をクローゼットの中から引っ張り出す。

「これを着て。もう少しでスカイランタンが始まるから見に行こう」

「え? さすがにまだ歩けるほどの体調では……」

アークレインは手をエステルに差し伸べた。その手の平からマナが放出され、布団が念動力で剝ぎ取られる。

「異能で連れて行ってあげる。外はかなり気温が下がってるからしっかり着込みなさい」

ポカンとするエステルの膝の上に、クローゼットから取り出したものがどさどさと落とされた。

エステルが着替えている間にアークレインは退出し、外出する格好になって戻ってきた。その手には何かが入ったバスケットがある。

「もう少し着込んだ方がいい」

エステルを見たアークレインは、更に上からショールを被せてきた。大量の服で着膨れてかなり不格好だ。

「これ、持ってもらってもいい？」

バスケットを渡され、エステルは首を傾げた。

「なんですか、これ」

「スカイランタンが入ってる。エステルも飛ばしたいよね？」

「はい」

「じゃあ行こうか」

アークレインはルーフバルコニーに通じる窓を開け放つと、エステルに手を差し伸べた。その手を取ると、エステルの体をアークレインのマナが包み込み、ふわりと体が宙に浮かんだ。

「きゃ……」

驚いて悲鳴を上げたエステルの体は、次の瞬間にはアークレインに横抱きにされていた。アークレインはエステルに悪戯が成功した子供のような笑みを向けると、そのままマナを操作し念動力で自分の体を浮き上がらせた。

浮いている。エステルは驚きで言葉も出ない。

硬直するエステルを抱き上げるアークレインの腕は力強い。

今が冬で良かったのか悪かったのか、着込んでいるおかげで体は分厚い何枚もの布が隔てている。だけど至近距離にアークレインの顔があるのでドキリとする。少し横を見上げるだけで口付けができてしまいそうだ。

アークレインからはいつものベルガモットの香りがした。心臓の音がうるさい。エステルはアークレインから意識を逸らすため顔を背け――視界に入ってきた光景に息を呑んだ。

漆黒の夜空には白い三日月が浮かんでおり、その月明かりに照らされて、夜の海は群青に染まっていた。そして波涛(はとう)が白い泡となり、次々と砂浜に押し寄せている。

視線の向きを変えると、いつの間にやらかなりの高度に到達しており、街の明かりが眼下にキラキラと煌(きら)めいていた。そして、港の先端に建てられた灯台からは灯火が光線となって空に伸びている。

「わたし、飛んでる……」

鳥のように空を飛びたい。それはきっと古くから多くの人が願った夢だ。

人が空を飛ぶ手段として現在知られているのは気球とグライダーだが、それらは数多(あまた)の発明家達が空を見上げ、空に憧れ、空に挑戦した結果生み出されたものだ。

より長く、より速く、より遠くへ――鳥のように飛翔するための魔導機械を造ろうと、今なお沢山の技師が試行錯誤を繰り返している。近年の産業の発達は目覚ましいから、いずれ飛行機械が開発される日は近いだろう。しかしアークレインやリーディスと言った強力な念動力を持つ『覚醒者』は、技師の努力を嘲笑うかのように、いとも簡単に空を飛んでしまう。

風は冷たく、むき出しになった顔が痛くなるほどに寒い。だけど全く気にならなかった。眼下に広がる夜景があまりにも綺麗で、エステルは息をするのも忘れて魅了された。

「体の調子は大丈夫？　寒くない？」

「はい」

興奮と喜びでそれどころではない。

「アーク様、連れてきて下さってありがとうございます。すごく綺麗……私、こんな景色見るの初めてです」

「どういたしまして。喜んでもらえて光栄なんだけど……ごめんね、そろそろ降りるよ。人に見られたくないし、実は人一人抱えて飛ぶのは結構マナを消耗するんだ」

アークレインは申し訳なさそうに囁くと、高度を下げ、浜辺が一望できる小高い丘の上へと舞い降りた。

祭りの人出は海の近くに集中している。皆一様にスカイランタンらしき明かりを手に持っており、気の早い数名が既にランタンを海に向かって飛ばしていた。

「ちょっと遠いけど我慢してほしい。さすがにあの人混みの中に空から行く訳にはいかない」

確かに『覚醒者』は相当に珍しいから、空から人が飛んできたら大騒ぎになってしまう。

「海に船があるのが見える？　あそこから花火が上がったらスカイランタンを飛ばすんだ。私達も準備をしよう」

アークレインはエステルの手の中からスカイランタンが入ったバスケットを取り上げた。そして折りたたまれたスカイランタンを広げ、燐寸で火を付ける。

「手を離したら飛んでいくから気を付けてね」

スカイランタンを手渡された。それはキャンドルに大きな紙袋が被さった形状をしていた。

「不思議です。どうしてこのランタンが空を飛ぶんですか？」

「熱気球の原理と一緒だよ。そのキャンドル部分に特殊なオイルが使われているんだ」

「火を使って危なくないんですか？　市街地に落ちたら火事になりそう」

「この時期のキルデアは季節風の影響で陸から海に向かって風が吹く。風向きを確認した上で開催の可否を決めてるし、スカイランタン自体も規格が決まっていて、五分程度で燃え尽きて落ちるよう設計されているんだ。だから大丈夫だよ」

博識なアークレインに感心するのと花火が打ち上がるのは同時だった。

ドーン、という音と共に夜空に大輪の花が咲く。すると、一斉に人々の手元からスカイランタンが放たれ、上空に向かって無数の灯火が昇っていった。

まるで蛍が一斉に飛び立ったかのような幻想的な光景だった。ランタン達は緩やかに海に向かって飛んでいく。

エステルも手元のスカイランタンから手を離し、そっと上空へと飛ばした。

このまま時が永遠に止まればいいのに。思わずそう願ってしまうくらい綺麗だった。

そしてこっそりと隣のアークレインを盗み見る。

時々すごく意地悪だけど、アークレインは基本的には優しくて、エステルを尊重してくれる。

どうしよう。知れば知るほど彼に惹かれていく。

きっとこの人は同じ気持ちは返してくれない。それが酷く切ない一方で、そんな事はどうだって良いと思える自分も存在した。同じ気持ちではなくても構わない。傍に居させてもらえるのなら。

——ああ、私はこの人が好きなんだ。

エステルは目を伏せると胸元に手を当てた。そこは、既にかなり薄くなった口付けの痕が残る場所だった。

八章　帰路

　夜の海に浮かぶ白い三日月、星明かりのように眼下に見えた街の明かり、そして花火と共に空に昇っていった無数のスカイランタン――。目を閉じると、昨夜見た幻想的な光景の数々が蘇ってくる。

　時が止まればいいのにという願いは叶わず、現在エステルはアークレインと共に首都に戻る馬車の中にいた。

「エステル、調子がまだ悪いなら横になっていた方がいいんじゃないかな？」

「体調はもうそんなに悪くないです。昨日の事を思い出したらぼんやりしちゃって」

　話しかけてきたアークレインにエステルはふるふると首を振った。

「アーク様、昨日はありがとうございました。まさか自分が空を飛べるなんて……あの景色は一生忘れません。本当に綺麗でした」

「楽しんでもらえたのならそれが一番だよ」

「私の体調のせいであまり旅行を楽しめなかったのが申し訳なくて」

「そんな事気にしなくていいよ。君に負担をかけたのは自覚してるしね……環境が一気に変わったんだ。倒れてもおかしくない」

　今日のアークレインも紳士的で優しい。

「今は平気？　辛いなら休憩するから遠慮なく教えてほしい」

「本当にもう大丈夫ですよ。長時間歩き回るのはちょっと自信がないですけど、座っている分には問題ないです」

エステルはブランケットを膝の上にしっかりと掛け直した。

まだ体の怠さは残っているが、室内で過ごす分には問題ないくらいに回復している。体調が戻ったからこそ馬車の中は手持ち無沙汰だ。刺繍や読書は酔うからできないので、窓から流れる景色を見るくらいしかする事がない。そしてぼんやりと外を眺めていると昨日の事を思い出す。その繰り返しだ。

（私って惚れっぽいのかな……）

エステルはため息をついた。

ほんの少し前までエステルの気持ちが捧げられていたのは元婚約者のライルだった。しかし今、心の大分部を占めるのは目の前にいるアークレインに変わっている。

恋とは唐突に落ち、その後は沼に沈むように深みにはまっていくものとは言うけれど、新たな恋を見つけるのが早すぎる気がする。

馬車の中という狭い空間で、アークレインと二人きりという状況に胸のドキドキが治まらない。ちらりと向かい側に座るアークレインを盗み見ると、彼もまた窓の外をぼんやりと眺めていた。蜂蜜色の金髪が窓から差し込む陽射しに煌めいて、彫刻のように整った顔がいつもより輝いて見えるのは、きっと彼への気持ちを自覚したせいに違いない。

今日も彼のマナは大きい。昨夜はエステルを連れて飛んだ事で残り二割程度まで目減りしていたのだが、一夜明けてほぼ全快している。

アークレインによると、空を飛ぶ程の念動力は王族の『覚醒者』でもないと扱えないものらしい。確かに大人二人分の質量を空に浮かすとなると、相当なエネルギーが必要になる。

「何か私の顔に付いてる？」

じっと見ていた事に気付かれてしまった。エステルはぱっと目を逸らす。

「もしかして見惚れてた？」

「ち、違います！　昨日はあんなにマナが減っていたのに、一晩でほぼ全快するんだなって思って……」

「ああ……限界まで念動力を使ったとしても、ぐっすり眠れば回復するね」

「アーク様のマナが多いのは王族だからですか？　それとも訓練の結果ですか？」

「生まれつきの部分が大きいね。前にも言ったと思うけど、訓練で増えるマナの量は限られている。やらないよりやる方が伸びるのは間違いないけどね」

「……私も今日から時間を見つけてマナの循環を試してみようと思います」

体調不良でそれどころではなかったけれど、折角教えてもらったのだ。コントロールを身に着けるためにもやるべきだろう。

「補助してあげようか？」

「結構です」

思い切り首を振るとクスリと笑われた。

「あ、そうだ。ずっと気になっていた事があるんですけどお伺いしてもいいですか？」

「何？　私に答えられる事ならいいんだけど」

「えっと……私の目にはアーク様の方がリーディス殿下よりもマナが多いように視えるんですけど、どうしてリーディス殿下のマナの方が多いって言われているんでしょうか」

ずっと気になっていた疑問をぶつけると、アークレインのマナが陰った。もしかしたら触れてはいけない事だったのかもしれない。

「……そうか、君はマナが視覚的に視えるんだったね」

そう呟くと、アークレインはどこか困った表情をこちらに向けた。

「簡単な話だよ。測定の前に念動力を使ってわざとマナを消費して、怪しまれない程度に低く見せた。だから表向きには私のマナはリーディスより低い事になっている」

この国では、七歳と十二歳、そして成人年齢となる十八歳の計三回マナの量を測定する事になっている。これは、マナの量によって扱える魔導具の幅が変わるためだ。軍人や技師を目指す子供にはマナの量は重要である。

「どうしてそんな事を……」

「リーディスへの王位継承の可能性を上げて暗殺の可能性を下げるためだよ」

淡々と告げるアークレインの姿が痛々しくて胸が締め付けられた。

『このような事になって大変驚いておりますが、姪をよろしくお願いします。殿下』

複雑な表情をするエステルを見ると同時にアークレインの脳裏に蘇ったのは、エステルの叔父、オスカー・フローゼスの言葉だった。

◆
◆
◆

オスカーはシリウスが首都にいる間、フローゼス伯爵領の領主代理を務めている。シリウスがこちらにいる限り彼は身動きが取れないため、婚約の話をするために通信魔導具で少しの間通話しただけだ。しかしその短い間でも、彼女が周りの人間に愛されて育った事は十二分にわかった。

『このような事を殿下に申し上げるのは自分でも不敬だと承知しておりますが、私には子ができませんでした。ですから私にとってエステルとシリウスの二人は実の子にも等しい存在なのです。ですからどうか、エステルを幸せにしてやって下さい』

エステルを大切にしているのはオスカーだけではない。シリウスもだ。

『――正直私は殿下に嫁がせるのは反対です。しかし立場上、我々は殿下に望まれれば拒めません。エステルを幸せにするとお約束下さい。私にとってエステルはたった一人の妹なんです』

シリウスはニューイヤーの晩餐の前、アークレインに対して真剣な表情でそう告げた。

親族達に大切に守られて育ってきたエステルから同情めいた視線を向けられて、やけに癇に障るのは羨ましいからだろうか。

流されるままにアークレインの元にやって来たエステルは大人しく静かだ。恐らく異能という特別な才能がなければ、手を出そうとは思わなかったタイプの女性である。

無理矢理危険な場所に引き込んだ自覚はあるので大切にしてやらなければと思う一方で、時々無性に踏みにじってやりたくなる。

アークレインにとって、無条件に自分を愛してくれる肉親は、ミリアリアと亡くなった前ロージェル侯爵の二人だけだった。前ロージェル侯爵はミリアリアの兄で、アークレインにとっては伯父に当たる人物だ。

アークレインを支えてくれる血縁という意味では、伯母のシエラと従弟のクラウスがいるが、シエラはよそから嫁いできた人間だし、クラウスはミリアリアへの思慕からアークレインに付いているだけだ。そこにあるのはシリウスとエステルのような確かで密な信頼関係ではない。

父はトルテリーゼを寵愛し始めてから遠い存在になってしまった。そもそも子供のうちから親元を離れ、宮を与えられるという慣例のせいで王族の親子関係は近いようで遠い。アークレインも七歳の誕生日に天秤宮を賜って、それからは王室府の職員に囲まれて育った。

愛されて育った人間特有のまっとうな感情をエステルから見せられると、もやもやとした感情が湧き上がる。その感覚は宮殿という特殊な場所で育った自分には到底持ち得ないものだ。

「あの……申し訳ありません。きっとお聞きしてはいけない事だったんですよね」

可哀想に。アークレインの負の感情を『視て』しまったのだろう。エステルは青ざめている。

そんな姿に溜飲が下がる自分には、どうやら嗜虐的な性癖があったらしい。

エステルは思った事がすぐ顔に出る。優しくすると素直に喜び怒ると押し黙る。身分差があるから怒りをぶつけてはいけないという分別が働くのだろう。彼女の場合、目が口以上にものを言うからアークレインにはお見通しなのだが、そういう自制心のあるところは純粋に好ましい。

「そんな事はないよ。マナが視える君が疑問に思うのはもっともだと思う」

アークレインは穏やかに微笑んだ。自分の中の感情が落ち着いたので、今のエステルには不穏なマナは見えないはずだ。

エステルの異能は中途半端だ。精神感応や読心といった異能と違って、正確な感情自体を読み取れる訳では無いところに駆け引きの余地がある。

「リーディスと君が会えば、遅かれ早かれ疑問に思う事だったね。こちらも失念していたよ。あらかじめ説明しておくべきだった」

感情の波を揺らさないよう心掛けて言葉を紡ぐと、エステルはあからさまにほっとした顔を見せた。

本当にわかりやすい。これはなるべく早めに彼女に感情表現を抑える技術を仕込む必要がありそうだ。

社交界は政治的思惑と打算が入り交じる魔窟だ。仮面を被る術を身につけなければ飢えたハイエナどもの標的になりかねない。

唐突に馬車が大きく揺れたのは、今後のエステルの教育方針について考え始めた時だった。

身構えたのと同時に大きな地響きの音が外から聞こえてくる。

(襲撃か⁉)

細心の注意を払ってのお忍びの小旅行だったが、秘密とはどんなに隠してもバレる時はバレるものだ。

アークレインは反射的に目の前のエステルを抱き寄せると、自分達の周囲に念動力の障壁を張り巡らせ、外に向かって声を張り上げる。

「何事だ!?」

「と、突然崖が崩れました！　こちらは無事ですが、前を走っていた馬車が巻き込まれて……」

答えたのは馬で並走していた護衛官のネヴィルだった。

襲撃ではなくて一安心だが、災害に誰かが巻き込まれたとなると無視する訳にはいかない。

「エステルは馬車の中にいるんだ！　安全が確認できるまでは絶対に出るな！」

アークレインはエステルに強い口調で言いつけると、馬車を飛び出した。

◆
◆
◆

「お願いします！　そこに息子が挟まれているんです。お願い、早く助けてぇっ！」

アークレインが馬車の扉を開けた途端、女性の悲痛な声と子供の泣き声が聞こえてきた。

絶対に出るな、と言われても外が気になる。エステルは馬車の窓から顔を出し、前の様子を窺った。

「エステル様、まだ出てはなりません」

声をかけてきたのはネヴィルだ。エステルの警護のために馬車の傍に一人残っていたらしい。

「襲撃ではないのよね？　ならば私達にも何かできる事があるのでは？」

制止を無視し、エステルは外へと飛び出した。すると崩落した崖と横転した馬車が視界に入ってくる。

よく見ると、馬車を引いていた馬は横倒しになってピクピクと痙攣（けいれん）している。その近くには二人の男性が倒れており、こちらの護衛官が様子を確認していた。

その傍では三十代前後の女性がアークレインにしがみつき、必死に崩れた土砂に向かって子供を助けてほしいと訴えていた。身に着けた衣装は明らかに高級品で、横転した馬車の主人である事がうかがえる。彼女もまた怪我をしていて頭から血を流していた。

「ネヴィル、座席を上げるのを手伝って！」

馬車の座席の下は物入れになっており、小旅行の荷物と一緒に、道中何かあった時のための野営用の道具や救急箱などが積み込まれている。

ネヴィルは熊のように大柄だ。エステルが手を出すまでもなく軽々と座席を上げてくれた。

エステルは救急箱を掴んで再び外に飛び出す。するとアークレインがエステルに気付きこちらを見た。

「エステル！　馬車にいるんだ。女性が正視できる状況では……」

「応急処置くらいなら私にもできます！」

エステルはアークレインの言葉を遮り、倒れたままピクリとも動かない男性二人の元へと向かった。

一人は駄目だ。首があらぬ方向に折れており、明らかに事切れている。

もう一人は右足に酷い怪我を負って呻（うめ）いていた。護衛官が止血のために布を当てて押さえているが、布も破れた衣服も真っ赤に染まっている。

「単なる外傷ですか？　骨の状態は？」

救急箱の中を漁（あさ）りながら尋ねると、処置中の護衛官は戸惑いながらエステルの方を見た。

「傷は骨まで達していて折れています。その……むき出しになっていてかなり酷い状態なので処置は我々が……」

「開放骨折ですか？　もっと酷い状態の方を処置した事もありますから任せてください」

ガーゼと包帯を手に怪我人の傍に移動すると、護衛官は戸惑いながらも場所を譲ってくれた。

止血に使っていた布を剝がすと、ズタズタになった患部が見えた。確かに傷口は深く、白い骨が無惨にも折れて皮膚を突き破っている。

エステルは折れた骨の上にガーゼを積み上げて保護してから、止血のため患部に包帯を巻いていった。

「キアン、怪我人はエステルに任せて良さそうだ。お前はこちらを掘り起こすのを手伝ってくれ。ネヴィルもこっちを」

迷いなく処置をしていくエステルを見て任せてもいいと判断してくれたのだろう。アークレインは怪我人の止血をしていた護衛官に声をかけると、崩れた倒木と土砂の山へと向かった。

ちらりと視線をやると、女性の視線の先に、倒木と岩の隙間に折り重なるように挟まれている男性と小さな男の子の頭が見えた。

男性は男の子を庇うように覆い被さっていた。そのおかげか男の子は一見すると無事に見え、男の腕の中でわんわんと大泣きしていた。一方男の方はかろうじて息はあるようだが酷く苦しそうだ。

「セディを……お願いします。セディを助けて」

女性は祈るようにアークレインにすがり付いた。疲れたのか、それともどこか怪我をしているのか、男の子のしゃくりあげる声は、だんだんか細くなっていく。

「崩れないよう異能で支えるから、お前達は二人を救出しろ」

アークレインの指示を受けて護衛官達が動き出した。てこの原理などを駆使し、少しずつ倒木と土砂を取り除いていく。そしてアークレインの体から立ち上ったマナが念動力の壁となり、男性と男の子を覆った。

土砂の下敷きになっている二人に対してエステルができる事はなさそうだ。目の前の怪我人に向き直ると、近くに落ちていた壊れた馬車の一部らしい手頃な木の板を足にあてがい、副(そ)え木として足に固定した。

骨折の処置はこれでいいはずだが、怪我人の様子を見ると血を流しすぎたのか顔を蒼(あお)くして震えている。保温してやらなければ。エステルは一旦馬車に戻り、ブランケットを取ってくると男の身体にかけてやった。

次は固唾を呑んで救出を見守っている女性だ。

「ご子息はアーク様に任せておけば大丈夫ですから手当てをしましょう。あなたもお怪我をされていらっしゃいますよ」

エステルはその場に膝を突き、女性と目線を合わせた。

「あの……あの方はもしや、第一王子殿下……」

女性は少し落ち着いたのか、周りを見る余裕ができたようだ。

異能を使う上に、国王そっくりの容姿の青年なんて他にはいない。

「はい。だからきっと大丈夫です。ここは危ないかもしれないので少し離れましょう」

エステルは女性に寄り添うと、救出している様子は見えるけれど危険はなさそうな位置まで移動させた。

「痛むのは頭だけですか？　他にはありませんか？」

「体中が痛いです。馬車の中であちこちぶつけたので……でも、ちゃんと動くのでそんなに大した事はないと思います……」

女性は子供の方向を凝視しながらかたかたと震えている。救出の様子が気になって仕方がないのだろう。

「セディがぐずったんです。馬車の中は飽きたと言って。それで従者の馬に……泣き喚いても暴れても無視すれば良かった」

女性の目から涙が堰を切ったように溢れ出した。エステルは女性の背中に手を当てて、宥めるために優しくさすった。

「大丈夫。きっと大丈夫ですから」

結論から言うと女性の息子――セディは助かり、それを腕の中に庇った従者の男は駄目だった。どうにか倒木を持ち上げて隙間を作り、セディを引っ張り出した時には既に息を引き取っていた。セディがかすり傷で済んだのが不幸中の幸いである。

女性はリシア・バレルと名乗った。生存者はリシアとセディ、そしてリシアの家に仕える御者の三名だった。御者はエステルが応急手当を施した足の骨を折った男性である。

一行はエステル達と同じく、首都からキルデアにスカイランタンの見物に出かけた観光客で、その帰り道にこの災難に遭遇したらしい。

リシア側が恐縮してアークレインの手助けを遠慮したので、その後は護衛官が近隣の村から呼んできた応援の人手に任せる事になった。

「ローザリアの若き太陽、アークレイン殿下。今日のご恩は決して忘れません。改めてお礼に伺わせていただきます」

そう告げるリシアの物腰は上品で、その所作からは富裕層に属する人間である事が見て取れた。

これからエステル達は崩れた道を迂回（うかい）して首都に戻る予定である。

「こんなに晴れていても崖が崩れる事ってあるんですね」

動き出した馬車の中、エステルはぽつりと呟いた。

「地盤が緩んでいたのかもしれないね」

「少しタイミングがズレていたら、ああなっていたのは私達なんですね。そう思うとゾッとします」

「……そうだね。央（ヤン）には天の配剤という言葉があるそうだけど、今回のこれはもしかしたらそうだったのかもね」

「え……？」

首を傾げるエステルに対して、アークレインは淡々と続けた。

「リシア・バレルにその息子の名前がセディ。恐らく本名はセドリックだろうね。ベルフィアス銀行の現総裁の末娘と孫の名前と一致する。バレル夫人の顔はベルフィアス男爵夫人にそっくりだったし、あの身なりと所作からして間違いないと思うんだ」

エステルは目を見開いた。ベルフィアス男爵家はポートリエ男爵家に並ぶローザリアの財閥である。ポートリエ男爵家が東洋との貿易で財を成したのに対して、ベルフィアス男爵家は銀行業で成した資産を新大陸の植民地（コロニー）に投資する事で莫大な富を得た。

「ベルフィアスは元々こちら側ではあるんだけど……今回の事で私は先方に更に恩を売ったという訳だ。エステルも良く頑張ったね」

ねぎらいの発言に空恐ろしいものを感じてエステルの背筋が冷えた。

（まるでチェスをなさっているようだわ）

人は駒。状況は盤面。アークレインの静かな表情は指し手のそれだ。

（私もこの人にとっては駒に過ぎない）

知っていた。だけど改めて思い知らされると心が痛む。彼に向けられた恋心は、駒でも役に立てるのならいいのではないかと語りかけてくる。だけど。

その一方で、駒では満足できない欲深い自分も存在する。いや、むしろこちらが本音だ。どうせなら共に並び立ち、愛し愛される伴侶になりたい。相反する二つの想いが心の中でせめぎあう。

「エステルの中には意外性が色々と隠れているね。随分と怪我人の手当てに慣れているようだったけれど、どうしてなのか聞いても構わない？」

アークレインの目は値踏みする眼差しだ。エステルの価値がはかられている。

「うちが飛竜の生息地だからです。竜伐には怪我がつきものですから」

「竜伐は領主の仕事だって聞いたけど」

「ええ。基本的には領主の、そして男性の仕事です。山に住む精霊は女を嫌いますから」

「……北部土着の精霊信仰だね。本で読んだ事がある」

ローザリアで広く信仰されているメサイア教は、かつてこの地を支配した古代ラ・テーヌ王国が持ち込んだ宗教である。

古代ラ・テーヌ王国は優れた魔導技術を持ち、古代遺物（アーティファクト）を生み出した事で知られている古代王国だ。彼らは土着の先住民族を征服する際、文化の破壊と宗教弾圧を行って人心を掌握した。しかし、人の心に根付いた信仰はラ・テーヌの教化政策の中でも密かに生き残った。北部の精霊信仰はそのうちの一つである。

「よくご存知ですね」

「確か山に住む精霊は女だから、女性が山に入ると嫉妬して雪崩を起こす、という民間伝承があるんだよね？」

「はい。ですから竜伐銃が使える女は、男性の不在時に備えて射撃の訓練はしますが竜伐自体には参加しません。医療の知識は領地のためにできる事はなんでもしたかったので学びました」

実際その知識と経験は、昨年の長雨の被災地を見舞う時にも役に立った。目を背けるような酷い怪我人でも平然と対応できるのは、もっと過酷な現場をその時に見たからだ。

射撃も、医療知識も全ては領地のために。エステルを構成する原点は故郷にある。そんなエステルをアークレインは静かに見つめていた。

九章　休暇のあと

「エステル様、起きて下さい。お疲れかとは存じますが、殿下がそろそろ起こすようにと」

エステルを起こしに来たのは四日ぶりに見るリアだった。

崖崩れに巻き込まれたリシア・バレル一行を助け、かつ迂回路を通って戻ってきたので、首都に辿り着いた時には既にとっぷりと夜が更けていた。そのためすっかり朝寝坊をしてしまったようだ。

目覚めたエステルの視界に入ってきたのは、天秤宮の最奥にある自分の部屋だった。まだ体調が万全とはいえない状態だ。そのため昨日は共通の寝室ではなく自室のベッドを使った事を思い出す。

「キルデアはどうでした？　殿下との仲は深まりました？」

にまにまとしながら尋ねてくるリアが少し鬱陶しい。どうせなら二人の事情を知っているメイが起こしに来てくれた方がよかった。

「熱を出してしまったけれど、お祭りは殿下が異能で連れて行って下さったわ」

嫌々ながら旅行の様子を話すと、リアはキャーっと黄色い悲鳴を上げた。

「殿下ったら優しい！　異能ってどういう事ですか？　アークレイン殿下はリーディス殿下と違って確か空間転移は使えませんよね？」

「それは念動力で空を飛んで……」

「なんですかそれ⁉　『覚醒者』の殿下だからこそできるやつじゃないですか！　物語みたいですね……素敵……」

きゃあきゃあとうるさいが、リアにこう話しておけば旅行先でもアークレインがエステルを丁重に扱ったという噂が駆け巡るはずだ。

「メイはどうしているの？　昨日から姿が見えないけど……」

「エステル様達が旅行に行ってからは、ニール護衛官と一緒にずっと王室護衛官（ロイヤルガード）の訓練施設に行かれてますね。リーディス殿下の襲撃で何もできなかった事に思うところがあるようで、自分を鍛え直すと仰ってました」

王族の『覚醒者』を相手にできるのは同じ王族の『覚醒者』しか居なさそうだが……。

メイは妙に真面目なところがあるので根を詰めていないか心配だ。

「一応私もエステル様をお守りするための訓練は受けているんですよ。何かあった時には盾になるくらいならできますからね」

「そんな事が無いように祈っておくわ」

任せてください、という顔をするリアに、エステルは苦笑いした。

「それはそうとエステル様、今日はとっておきのお客様が来られるんですよ。だから頑張っておめかししましょうね」

「お客様？　何も聞いてないけれど誰？」

「それは秘密です」

楽しげに笑うリアにエステルは首を傾げた。

軽く朝と昼を兼ねた食事を摂り、アークレインと来客が待つという応接室に入ったエステルは、ぱあっと顔を輝かせた。

「オスカー叔父様！」

そこにあったのは、フローゼス伯爵領にて領主代行を務めているはずの叔父の姿だった。

「一応俺も居るんだけど……」

「あら、お兄様も。でもどうして？　二人して首都に出てきて領地は大丈夫なの？」

シリウスとオスカー、面差しのよく似た二人が並んで応接室のソファに座っている姿に、エステルは眉をひそめた。

「今年は雪も少ないし、領地にはパメラもいるから少しくらいは大丈夫だ。……どうしてもエステルの顔が見たくてね」

パメラはオスカーの妻だ。

オスカーとパメラの間には残念ながら子供ができなかった。そのためか、この叔父夫婦はシリウスとエステルを本当の子供のように可愛がってくれて、両親の亡き後は陰になり日向（ひなた）になり二人をサポートしてくれる非常に心強い存在だった。

オスカーは領地管理官（ランド・スチュワード）としてシリウスを支え、パメラは領主の女主人としての振る舞いをエステルに教えてくれた。エステルやシリウスにとっては第二の両親と言ってもいいくらいに頼もしい親族である。

オスカーとシリウスは容姿に共通点があるものの性格はかなり違う。シリウスが適当でいい加減なところがあるのに対しオスカーは厳格で生真面目だった。

「二人がかりでエステルを大切にしろと脅されていたんだ」

肩をすくめながら発言したのは、二人の向かい側に座るアークレインだった。表面上はいつもの穏やかな微笑みを浮かべているがマナが陰っている。

（お兄様達ったら一体何を言ったのかしら……）

オスカーはともかくシリウスはがさつなところがあるから、何か失礼な事を言ったのかもしれない。

こちらの気も知らないでシリウスは焼き菓子に手を伸ばしている。エステルはその胸倉を掴んで問い詰めてやりたい衝動に駆られた。

「今日は殿下に直接お会いして挨拶したかったのもあるんだが……エステル、実は君の友人を連れてきたんだ」

「友人……？」

「後で厩舎に見に行くといいよ」

オスカーとアークレインから教えられ、エステルはピンと来た。

「もしかして領地からルナリスを連れてきてくれた……とか……？」

ルナリスはエステルの愛馬だ。栗毛の牝馬で、足の速さはそれほどでもないが、穏やかで優しい性格をした乗りやすい馬である。

「狩猟大会に出るって聞いたからな。必要かと思って叔父上にこちらに送ってもらうようお願いしたんだ。まさか叔父上が直接連れてくるとは思わなかった」

シリウスの言葉にエステルの心は浮き立った。

「殿下に直接ご挨拶をしておきたくてね。これから長い付き合いになるだろうから」

シリウスの言葉を継いだオスカーは、父親気分なのかアークレインになんとも言えない複雑そうな表情を向けた。マナを見るまでもなくオスカーとアークレインの間にはどこかピリピリとした空気が漂っていて、エステルはなんとなくアークレインが不機嫌になっている理由を察した。


アークレインの勧めでエステルはオスカーとシリウスに天秤宮の中を案内し、どんな生活を送っているのかを見てもらった。そして最後の締めくくりに全員で厩舎へ向かう。

ここに来てから厩舎に足を踏み入れるのは初めてだ。独特の匂いに懐かしさを感じながら中に入ると、見慣れた栗毛の馬の姿が確かにあってエステルは歓声を上げた。

「ルナリス！」

馬は賢い生き物だ。エステルの姿を認めると、目を細めてこちらに向かって頭を寄せてきた。ルナリスに会うのは約三か月ぶりだが、ちゃんと主人の顔を覚えていてくれたようだ。

「エステル様、よろしければこちらを」

厩舎にいた厩務（きゅうむ）員が角砂糖を差し出してきた。するとルナリスは、早く寄越（よこ）せと言わんばかりに嘶いて、前脚を引っ掻くような動作をした。

「わかったわかった。あげるから落ち着いて」

角砂糖を乗せた手を差し出すと、ルナリスは器用に砂糖だけを舌ですくいあげてぺろりと食べた。そしてまた前脚で土を掻く。おねだりの仕草がとても可愛い。

「お前、狩猟大会までにちゃんと練習しとけよ。横乗りはあんまり得意じゃないだろ」

シリウスの指摘にエステルは固まった。

「えっと、狩猟大会って横乗りじゃなきゃいけないの……？」

狩猟大会の舞台は王室が管理する首都郊外の森である。軍事訓練という側面も持つため、森までは全員が馬で移動する決まりだ。そして男性が森に入って獲物を狩る間、女性陣は森の手前に天幕を立て、ピクニックという名の社交をする。

「トラウザーズタイプの乗馬服で参加する女性はいないから自然に横乗りになるよ。狩猟大会用の乗馬用ドレスは既に仕立ててあるはずだけどもしかして見ていない？　ドレスルームのどこかに入ってるはずだけど」

アークレインが補足した。

「首都の貴婦人は馬に跨がるような乗り方はしないだろ。田舎と一緒にすんな」

シリウスの指摘は至極もっともである。うっかり失念していた。淑女といえば、普通はドレス姿で横乗り用の鞍（くら）を使い、足を晒さないように馬に乗るものだ。

「もしかしてエステル、横乗りはできない？」

「普通に歩かせる事くらいならできると思いますけど……正直得意ではないですね。領地では跨がって乗っていたので」

横乗りは体重のかかり方が偏るため、馬にも人にも負担がかかる。おまけに普通に跨がって乗る以上の技量も要求される。

「練習するなら付き合うよ。週に一、二回なら時間が取れると思う」

「よろしくお願いします……」

アークレインの提案に、エステルは力なく返事をした。

「殿下はエステルの事を大切にして下さっているんだな。多少無理をしてでもこちらに来てよかった」

オスカーは最後にそう告げてシリウスと共に天秤宮を辞した。今日はホテルで一泊し、明日には領地に戻るそうだ。

アークレインの態度は演技なのに。誰も気付いてくれない事が無性に寂しかった。

◆　◆　◆

「エステル様、襲撃者がこちらから現れたらこう逃げます。もしこちら側からならこう。あなたは護衛対象者ですから、絶対に前には出ず、逃げて生き延びる事だけを考えてください」

アークレインの休暇が終わり、エステルの教育も再開された。今、エステルはアークレインの執務室の続き部屋にて、護られる者の心得講座を受講していた。講師役は天秤宮の侍従長――男性使用人を取りまとめる役目を任されているハオラン・ツァオという人物だ。

なお、ハオランはメイの父親でもある。央出身の彼は東洋武術の達人で、護衛を兼ねた側近としてアークレインの身の回りの世話を一手に引き受けているそうだ。央人らしいすっきりとした顔立ちと、年齢を感じさせない引き締まった体軀の持ち主だった。

「護身のために銃は常にお持ち頂いていますが、ご自身の安全確保が第一です。それを使って抵抗するのは最終手段だとお考え下さい。状況によっては下手に抵抗せず、相手に捕らえられた方がいい場合もございます」

ドレスの下には今日も銃を仕込んでいる。アークレインと出会ってからずっと携帯しているので、銃と肌が擦れて常に青あざができている状態だ。乙女としては悲しいし物理的に痛いが仕方がない。

エステルはこっそりとため息をついた。

その間にもハオランの講義は続く。

暴漢に建物の中で襲われた場合、野外で襲われた場合、野外も大自然の中、市街地など、いくつかの状況を想定しての逃げ方を教えられる。

「……色々とご説明は致しましたが、襲ってきた相手がリーディス殿下の時はとにかくお逃げください。あの方は歩く天災です。そこの二人には次回同じ事があった場合、もう少しマシな対応が取れるように仕込んでおきましたから」

ハオランはエステルの背後に控えるメイとニールに視線を送った。その瞬間二人のマナが陰ったので振り返ると、二人とも盛大に顔を引き攣らせていた。二人ともエステルが旅行で不在にしている間、ハオランに徹底的に指導を受けていたらしい。

「私のせいよね、ごめんなさい」

「エステル様が謝罪される必要はないです！　我々が軟弱なのが悪いので……」

ぴしりと姿勢を正したニールの姿からは相当な扱きを受けた事が想像できて、エステルは余計に申し訳ない気持ちになった。

◆◆◆

公務中のアークレインが隣の執務室からこちらに顔を覗かせたのは、次の講師が来るまでの空き時間を有効活用するため、マントの刺繍に取り組んでいた時だった。

旅行の間は体調を崩したせいでちっとも進まなかった。少しずつでもやっておかなければ、狩猟大会に間に合わなくなってしまう。

「綺麗にできてるね」

「お褒め頂きありがとうございます」

刺繍は花嫁修業の必須項目だ。これくらい貴族の女の子なら誰でもできる。

「王家の紋章は複雑だから大変だよね。私の場合は個人の印章も刺繍してもらわなければいけないから心苦しいよ」

「……否定はしません」

エステルは痛くなってきた手を振りながら答えた。

「せめてアーク様の印章が虎ではなくて模様のない動物ならよかったんですが……」

「ごめんね。個人の印章を決めたのは私じゃなくて父上なんだ。だから苦情は父上に言ってほしい」

ちなみに国王は狼でリーディスは黒豹だ。思わず愚痴を漏らすと苦笑いが返ってきた。

「よろしかったらお茶でも淹れましょうか？　手が疲れてきたので少し息抜きがしたいです」

「エステルが淹れてくれるの？」

「はい。お口に合うか少し不安ですが」

この部屋にはお茶を淹れるためのセットが一式揃っている。エステルは席を立つと、魔導ポットや茶葉などが収められた戸棚の前に立った。

「いっぱい揃ってますね。何かリクエストはありますか？」

「なんでもいいよ。エステルの飲みたいものなら」

「うーん……じゃあベルガモットのフレーバーティーにします」

エステルが選んだのは、アークレインの好む香水の香りの付いた紅茶だった。

「エステルの一番好きなお茶は何？」

「エルダーフラワーのフレーバーティーが好きです。……ここには無いみたいですね」

「……ごめんね」

わずかな沈黙にエステルは首を傾げた。

「もしかして苦手ですか？」

「少しね。それより明日はロージェル侯爵邸でのティーパーティーだよね」

あからさますぎる話題転換だった。エステルは触れてほしくないのだと察する。

「はい。婚約発表されてから初めての社交なので緊張します」

エステルはさらりと流して返事をした。

「そう身構えなくても大丈夫だよ。伯母上主催のパーティーだから、君を快く思わない者がいたとしても何もできない。何か不快な事を言ったり行動に移す者がいたとしたら後からちゃんと教えて欲しい」

（……まるで真綿の中に包まれているみたい）

アークレインの発言に感じたのは息苦しさだった。

温かく優しく囲い込まれ守られて――とてもありがたい事なのに。

◆　◆　◆

アークレインは決裁書類の提出のため訪れた獅子宮の廊下で、トルテリーゼ王妃と出くわし心の中で舌打ちをした。

「まあ、アークレインじゃない。陛下の所からのお帰りかしら？」

「ええ、義母上」

「もう少しこちらに来る頻度を上げても良いのではないかしら？　あなたも婚約した事ですし、エステル嬢とも、もっとお話しをしてみたいわ」

ふふ、とトルテリーゼは上機嫌に微笑んだ。なお、今そのエステルは、ロージェル侯爵邸での社交に赴いている。

「私本当に嬉しいのよ。あなたはずっとオリヴィア嬢と結婚すると思っていたから。あの子よりエステル嬢の方がずっといいわ。だってとっても純朴で大人しそうなんですもの」

北部の田舎貴族の娘などを未来の配偶者として迎えてくれてありがとう。地味で大人しそうで扱いやすそう。――言葉の裏に含まれた皮肉はこんなところだろうか。

「リーディスがくだらないちょっかいを出したようで本当に申し訳ないわ。私からも叱っておいたから許してもらえると嬉しいのだけれど」

「義母上のご配慮に感謝いたします」

「だってあなたの未来の奥様なら、私にとっては娘と言い換えてもいいでしょう？　彼女のようなご令嬢を迎えるなんて、あなたにしては賢明な判断よ」

王位継承争いから自分から一歩後退するなんて愚かね。おかげでやりやすくなるわ。

王妃の発言の一つ一つに秘められた裏を、アークレインはつい邪推してしまう。

「リーディスもね、お姉様ができるのが嬉しくてはしゃいでしまったのだと思うの。本当に困ったものね。あの子の乱暴を謝罪するためにも、近いうちにエステル嬢とご一緒する機会を設けて下さ

らないかしら？」

「……こちらの予定も立て込んでおりますので考えておきます」

エステルは、トルテリーゼはこの婚約を歓迎していないようだと言っていた。しかし、目の前のトルテリーゼからはそんな素振りは全く見えない。王妃側から機会を作りたいと言ってきている事だし、もう一度エステルと王妃を会わせてみるべきだろうか。一礼して王妃と別れた後、アークレインは思考を巡らせた。

今のところマールヴィック公爵家や王妃自身とフローゼス伯爵家の間に特別な何かがあるという報告は上がってきていない。アークレイン子飼いの密偵（スカウト）は優秀だ。現段階で何も上がってきていないという事は、今後も何も出てこない可能性が高い。

エステルが嘘をついている？　いや、異能による感情の読み取り方が間違っていると考えた方がいいのかもしれない。

オリヴィアとアークレインを娶（めあわ）せ、あえて派閥を結束させて最終的に一網打尽にするつもりだったのか、はたまたリーディスではなく、本当はアークレインに王位を継がせたいのか……いや、それはありえない。今までの王妃とマールヴィック公爵がアークレインに対して取ってきた態度を思い返し、即座に否定する。

様々な推測と一つ一つに対する対応を考えながら、アークレインは獅子宮を後にした。

十章　オペラハウスの再会

エステルは、緊張の面持ちでアークレインの隣に座り国王夫妻と対峙していた。

ここは王立歌劇場（ロイヤル・オペラハウス）。首都アルビオンの中心街に建てられた、最も格式の高い劇場である。エステルは、国王夫妻に誘われてアークレインと一緒に観劇に訪れていた。

国王の名で招待されたので、用意されていた座席は王族専用席（ロイヤルボックス）だ。舞台から向かって正面二階に設けられたこの特別席は、内装も調度も全てが一級品で揃えられており、王家の威光をふんだんに観客に見せつける造りになっていた。

舞台に視線を向けるとオペラが上演されているが、状況が状況なのでちっとも頭に入ってこない。しかし、オペラを見ている振りをすれば国王夫妻と会話しなくて済むのはありがたかった。

リーディスの暴挙を謝罪したい、という名目でエステル達はここに呼び出された。そして国王夫妻両方から謝罪を受けて今に至っている。

また、エステルがここに来た目的はもう一つあった。トルテリーゼ王妃のマナがやはりエステルを見ると陰るのか、改めて確認してほしいとアークレインから頼まれたのである。

この至近距離だ。王妃のマナはわざわざ見なくても感知できる。しかし自分の目でしっかりと確認したくて、エステルはこっそりと王妃の姿を視界に入れた。

王妃はオペラグラスを片手に舞台を眺めている。約半月ぶりに見る未来の義母のマナは、穏やかに落ち着いていて、これまでエステルに示していた負の感情が嘘のように無くなっていた。

（認めて下さったという事……？）

意味を考えてもわからず頭が混乱する。王妃の不可解なマナの動きはそれだけではなかった。

「今日はリーディスの事を謝りたくてあなた達を呼び出したの。改めて母として謝るわ。……でも、半分とはいえ血の繋がりのある弟のした事ですもの。アークレインはお兄様なのだから許してくださるわよね」

オペラが始まる前の王妃の謝罪はどこか高圧的だった。許さないなんて言わせない。そんな迫力を感じさせる視線をアークレインに向けている。隣のサーシェス王は、苦い表情を浮かべるだけで傍観していて、複雑な親子関係が窺えた。

「義母上に言われるまでもなく許しておりますよ。リーディスは腹違いとはいえたった一人の私の弟ですから」

アークレインはいつもの穏やかな笑みで返事をした。しかし本心でない事はマナを見れば明らかだ。

「アークレインならそう言ってくれると思っていたわ。いつもリーディスに良くしてくれる優しいお兄様ですものね」

王妃は楽しげな笑みを浮かべると、どこか小馬鹿にするような口調で応酬した。しかし彼女のマナの色は、上機嫌になるどころか昏く沈み込んでゆくのでエステルは困惑する。

まるでこんな態度本当は不本意なのだ。そうと言っている気がして――。

いや、そんな馬鹿な。エステルは慌ててその考えを打ち消した。視界に入れたくないくらい嫌い抜いているからとも解釈できる。

だけど、王妃の態度とマナの色合いがどうにもちぐはぐな印象を受け、エステルは頭を悩ませる。直接心が読める異能ではないのがもどかしい。考えすぎて頭が痛くなってきた。エステルは王妃から視線を逸らすと、目を閉じてこめかみを揉み解した。

◆◆◆

王立歌劇場(ロイヤル・オペラハウス)は上流階級のための社交場だ。オペラの幕間(まくあい)は社交の時間である。客席からロビーに向かう人の群れに、エステルも国王夫妻やアークレインと共に交ざった。

王族の登場にざわめきと視線が集まるが、身分の低いものからは話しかけてはいけないという暗黙の決まりがあるため誰も話しかけてはこない。

アークレインはエステルを伴い、第一王子派の貴族達に順番に声をかけていった。

そのほとんどがシエラ主催のティーパーティーで顔を合わせた女性達の関係者で、エステルが派閥に溶け込めるよう、最大限の配慮がなされていた事を改めて実感する。そのティーパーティーには、オリヴィアやその取り巻きなど、エステルに敵意を示しそうな者は招待されていなかった。

偶然とはいえ、崖崩れに巻き込まれたリシア・バレルを小旅行の帰り道で助けた事も大きかった。彼女はアークレインの推測通り、銀行家、ベルフィアス男爵家の一員だった。リシアとセディを助けたのはほぼアークレインの功績と言っていいと思うのだが、あの一件がきっかけとなり、ベルフィアス男爵家はエステルへの支持を表明してくれた。

ロージェル侯爵家とベルフィアス男爵家が味方についた事で、エステルは派閥の中で未来の王子妃としての立場を固めつつある。

しかし、その一方で、オリヴィア・レインズワースが色々と噂されるのを聞いてしまうと、素直には喜べなかった。

「こんばんは、ヴェルニー子爵、キーラ夫人」

機械的に社交用の笑みを浮かべ、挨拶をする人形になっていたエステルは、友人の姿に自分を取り戻した。

「ローザリアの若き太陽、アークレイン殿下にエステル嬢。この佳き夜の出会いに妻共々感謝致します」

「ローザリアの若き太陽、アークレイン殿下、今宵の出会いに感謝いたします」

キーラだ。学生時代からの友人の姿に、エステルはほっとするのを感じる。

「エステル、この間のシエラ様のティーパーティーでは沢山お話しができて楽しかったわ」

「それは私もよ。今日もキーラと会えて嬉しい」

エステルは心からの笑みを浮かべた。

「二人で並んでいる姿を見ると羨ましくなっちゃう。今が一番いい時期よね？」

そういうキーラこそがエステルは羨ましい。彼女は子供の頃からの恋を叶えてヴェルニー子爵に嫁いだ幸運な女性だ。ヴェルニー子爵とキーラは従兄妹(いとこ)同士だ。幼い頃から知っている関係性というところはライルとエステルに似ている。

初恋を実らせた彼女は幸せそうだ。ヴェルニー子爵との関係が良好なのは彼女のキラキラとしたマナに幸せそうな表情を見ればわかる。

友人の幸福は嬉しいのに、そのマナを見ていると妬みの感情が湧き上がる。そんな自分が酷く汚い人間になった気がした。

こんな感情を表に出してはいけない。エステルは暗い感情を心の奥底に押し込めて、キーラに向かって微笑みかける。

「ありがとう。キーラこそとても幸せそう」

「ええ、控えめに言っても幸せよ。だって素敵な旦那様と結婚できたのに加えて、大好きなお友達との交流も復活したんですもの」

「私も大切な婚約者にあなたという友人がいて心強いですよ。機会があればエステルに会いに天秤宮にいらしてください」

アークレインが会話に入ってきて、キーラはぽおっと頬を赤らめた。隣のヴェルニー子爵はむっとした表情を見せる。そんな二人の姿が微笑ましい。

——ふと隣から強い視線を感じた。

こっそりと視線の方向を確認すると、どこか見覚えのある女性がこちらをじっと見ている。

誰だろう。思い出せないでいると、キーラが彼女に声をかけた。

「ナイトレイ伯爵令嬢……ですよね？　お久しぶりです」

キーラの発言で思い出した。エジュレナ女学院時代の同級生だったマチルダ・ナイトレイだ。と言ってもただクラスメイトだったというだけで、あまり親しくした記憶はなかったが。

「お久しぶりです、ナイトレイ伯爵令嬢」

流れとしてエステルも無視する事はできなかった。声をかけると、マチルダはぱっと顔を輝かせた。

「久しぶりね、エステル。お会いできて本当に嬉しいわ」

「エステルのお友達？」

「エジュレナでの同級生です」

アークレインに尋ねられ、紹介すると、マチルダはその場でカーテシーした。

「ローザリアの若き太陽、アークレイン殿下にお目にかかります。マチルダ・ナイトレイと申します」

「デビュタントで一度お会いしていますよね？　こんばんは、良い夜ですね、ナイトレイ伯爵令嬢」

アークレインに声をかけられ、マチルダはあからさまに舞い上がった表情を見せる。

「エステル、ナイトレイ伯爵令嬢だなんて他人行儀だわ。久しぶりに会ったせいかもしれないけれど、学生時代のようにマチルダと呼んでください」

マチルダの発言にエステルは心の中で苦笑する。

学生時代、マチルダをファーストネームで呼んだ事など一度もなかったし向こうから呼ばれた事もない。アークレインとの婚約発表からよく知らない友人と遠縁の親戚が増えた。これも有名税という奴だろう。

「ごめんなさい。久しぶりに会うから、ファーストネームで呼んでいいのか迷ってしまって」

エステルは当たり障りなくを心がけ、いつもの社交用の笑みを作った。

自称友人はさておき、キーラを始めとする本当の友人との久しぶりの再会は嬉しかったが、人が次々にやってくるので深く言葉を交わす時間はない。

第一王子派の貴族を中心に大勢の人に笑顔を振りまいたので、エステルは顔の筋肉が引き攣りそうだった。

やはり社交は苦手だ。人が多いと雑多な感情がごちゃまぜに視えるので、精神的に酷く疲れる。

こっそりとため息をついた時だった。エステルは一際深い負の感情に満ちたマナを感知する。ちらりとそちらに視線をやって即座に後悔した。

ライル・ウィンティアとディアナ・ポートリエがこちらを見ている。特にディアナのマナが昏い。

ライルのマナも陰っているという事は、恐らく二人の間は上手くいっていないのだろう。いい気味だと思う一方で、ライルには幸せになってもらいたいので複雑な気分になる。

アークレインと出会い、色々な事が怒濤のように起こったせいでほぼ吹っ切れてはいるけれど、エステルはライルが好きだった。

ライルが同じ熱量でエステルを想ってくれていたかはわからない。だけどライルもエステルに好意を抱いてくれていたのは確かだ。ライルは幼なじみのエステルの事を妹のように可愛がってくれたし家族ぐるみで仲が良かったから、婚約の話もとんとん拍子に進んで決まった。ディアナ・ポートリエさえ割り込んで来なかったら、エステルは今も領地で穏やかな生活を送っていたはずだ。

ライルを見ると、甘く苦いものが湧き上がって心が疼いた。好きで別れた訳ではないし、ずっとウィンティア伯爵夫人になる事を夢見ていた。慣れ親しんだ土地で婚家と実家の間を行き来し、両方の領地の架け橋となって生きていくはずだった。手に入る直前で失われた生活に未練があるから、こんなふうに感じるのかもしれない。

「君の元婚約者達がこちらを見てるね。声をかけに行ってもいいけど、エステル、君はどうしたい？」

ライルとディアナから露骨に目を逸らすと、アークレインが声をかけてきた。エステルは首を横に振る。

「わざわざ波風を立てるような真似はなさらないで下さい」

「ディアナ・ポートリエは面白いね。自分の思い通りにした癖に、君の事が気に食わないって顔だ。あのタイプの人間を見ると挑発してやりたくなる」

「挑発って……何をなさるおつもりですか？」

「そうだな……渾身の人を苛つかせる顔を向けてやるとか？」

思わずエステルは吹き出した。

「どんな顔ですか」

「うーん、ポートリエ男爵令嬢には見下す顔が効きそうだけど……」

アークレインはエステルを見て不敵な笑みを浮かべると、突然ぐいっと腰を抱き寄せた。

「アーク様⁉」

「エステル、幸せそうに笑える？」

突然の密着に驚くエステルに、アークレインは蕩けるような笑みを向けた。

「幸せそうな顔を見せるのもたぶん効くよ。だから笑ってみて」

そんな事急に言われてもできない。戸惑うエステルの頬に、アークレインは顔を寄せてくる。至近距離に近付いてきた秀麗な顔は、頬に触れる直前で止まった。見る人の角度によっては、頬に口付けているように見えるであろう体勢だ。

かあっと頭に血が上る。まるで自分の周りだけ時間が止まったみたいに、周囲に溢れる雑多な感情なんて気にならなくなる。

幸せそうな恋人の振り。……なんて残酷な人なんだろう。でもエステルの心はそれを喜んでしまう。

本当に口付けてくれればいいのに。

(私が少し顔を動かせば……)

ちらりとよぎった考えを実行に移す事はできなかった。伯爵家の娘として育った倫理感が、そんなはしたない真似をしてはいけないと押し止める。

硬直しながら葛藤していると、幕間の終わりを告げるベルの音が鳴り響いた。

「効いてるみたいだ」

するりと身を離しながらアークレインが囁いた。

ライルとディアナの方向を見ると、二人して酷くマナを陰らせている。

ディアナの感情はなんとなく推測がつく。悪意に満ち溢れた結婚式の招待状を送ってくるような人物だ。エステルの事を下に見ていたから、アークレインに選ばれたのが許せないのだろう。

でも、ライルまでアークレインとエステルが密着するのを見て、強い負の感情を帯びているのはどうしてなんだろう。

(未練……?)

だとしたら複雑だ。

ライルがエステルに気持ちを残しているとしたら、ディアナがエステルを睨みつけるのにも納得がいく。強引に手に入れた婚約者が元婚約者に想いを残していたらさぞかし腹立たしいだろう。さされた事を思えばこれっぽっちも同情はできないけれど。

「エステル、戻ろう」

アークレインに促され、エステルは王族専用席に戻る道すがら考える。

一昨年の大雨が無かったら。ディアナ・ポートリエが割り込んでこなかったら。

——そんな仮定に意味なんてないのに。

◆　◆　◆

「なんなのよあの女……これ見よがしに人前で殿下と引っ付いて……はしたないと思わないのかしら」

ソファに座り、爪を噛みながらぶつぶつと愚痴り始めたディアナを、ユフィルは呆れながら観察した。

（また言いだしたわ）

ユフィルが侍女として仕える我が儘お嬢様、ディアナ・ポートリエは、昨日出かけた王立歌劇場（ロイヤル・オペラハウス）で、エステル・フローゼスと出会ってしまったらしい。第一王子アークレインの婚約者として正式に発表されたエステルは、現代の灰かぶり姫（シンデレラ）として今や時の人だ。

（王子様はエステル嬢を溺愛してるって話だし、一緒に観劇したのならイチャイチャくらいするでしょうよ）

心の声はおくびにも出さず、ユフィルはおろおろとしている演技をしながらディアナの怒りが治まるのを待つ。

「あー！　もう！　胸がムカムカする！」

突然奇声を上げたかと思ったら、ソファからクッションが飛んできた。

ディアナの力は深窓のお嬢様らしくへなちょこだ。クッションは大して飛ばず、ぽふんとソファからそう離れていない床に落ちた。

「ライル様もライル様よ！　エステルの事をじっと見つめたりなんかして！　婚約者は私なのに！」

（どう見ても自業自得です）

相思相愛の二人の間に割り込んで、無理矢理お金の力で引き離したりするからそうなるのだ。エステルが王子様に見初められた今、一番割を食ったのはライルではないだろうか。

ユフィルはライル・ウィンティアの精悍に整った容貌を思い浮かべて同情した。顔がいいせいでディアナに目を付けられてしまったのだから、実に可哀想な青年である。

ライルはディアナの婚約者としてよく頑張っていると思う。やれ移動遊園地だ、やれ観劇だ、三日に一度は手土産を持って訪問しろ、いつも同じ店の焼き菓子ばかり買ってこないで、百合の花は香りがキツいから苦手なの――。

我が儘娘の要望に応えつつ、婚約者としてできる限りの配慮をしようと努力する姿は、使用人に過ぎないユフィルから見ても痛々しい。

ウィンティア伯爵領への資金援助がかかった婚約だから、下手に出ているのだろう。しかし彼が耐えているのは、瞳が日に日に死んでいくのを見る限り明らかだ。あの虚ろな瞳を見ていると、いつか張り詰めた糸が切れて爆発するのではという危うさを感じる。

「なんであんな地味女が殿下と……全然釣り合ってないのよ。身の程知らずだわ……」

今日の荒れ方はまだマシだ。物を壊すのではなく、クッションを抱きかかえて呟くだけで済んでいる。それを聞かされるこちらはたまったものではないが、給金のため、と自分に言い聞かせて我慢する。

（今日はいつまで続くのかしら）

「お嬢様、落ち着いて下さい。ライル卿がエステル嬢を見ていたなんてきっと錯覚ですよ。だって三日に一度はこちらにいらっしゃって、綺麗なお花やお菓子を持ってきてくださるじゃないですか」

ユフィルは気遣わしげな顔を作ってディアナを宥める。

「ユフィルは昨日のライル様を見てないじゃない」

「王立歌劇場は庶民が入れる所じゃありませんからね」

王立歌劇場は上流階級のための社交場だ。一番安い席ならユフィルでもお金を貯めれば買えない事はないが、その次にはドレスコードという関門が控えている。

「殿下もライル様もあの女ばかり見てるのよ。なんであんな地味女が……！」

「街を歩いてると、ものすごく格好いい人が連れてる女性って普通な事が多いんですよねぇ。美形は美形を自分や家族で見慣れてるのかも」

（でもエステル嬢は十分お綺麗な方だと思いますけどね……）

確かにエステル・フローゼスはとびっきりの美人ではない。華やかなディアナと並ぶと見劣りするかもしれないが、よく見ると目鼻立ちは整っていて、清楚な気品がある女性だ。

「……つまり私が美人すぎるのがいけないのかしら」

「兄は隙のない完璧な女性は近寄り難いって言っていましたよ、お嬢様」

ユフィルはディアナの機嫌を損ねないよう言葉を選んで相手をする。

無難な言葉選びが上手なせいで、この厄介なお嬢様の傍から離れられない事にユフィルは気付いていなかった。

コンコンとドアがノックされたのは、いい加減愚痴に付き合うのに疲れてきた時だった。

「失礼します。お嬢様、フロリカ様がいらっしゃいました」

「フロリカが？　すぐ行くわ」

いそいそと席を立つディアナの姿に、ユフィルは内心ほっとした。ようやく愚痴から解放される。

フロリカは、ディアナが傾倒している占い師である。年齢は三十代前後、褐色がかった肌と黒い髪と瞳が特徴のルプト族の女性だ。ルプト族というのは、遊牧生活を送る流浪の民の一部族である。常に華やかなルプト族の民族衣装を身に纏っていて、それが占い師という職業もあいまって彼女を神秘的に見せていた。

「……という訳なんです。私もう悔しくって」

ユフィルがお茶の準備をして応接室に入ると、ディアナはフロリカに昨日の観劇での愚痴をぶつけていた。要は聞き手をユフィルからフロリカに替えたのだ。フロリカは静かな表情でディアナの話に聞き入っている。

室内はフロリカが持ち込んだ東洋的(オリエンタル)な香りのお香の匂いが立ち込めていて、ユフィルは思わず鼻の息を止めた。この匂いはどうにも苦手だ。

資産家の中には信心深く、迷信や占いを気にするタイプが一定数いるというが、ポートリエ男爵はまさにそのタイプで、そんな父親を見て育ったディアナも多分に影響を受けていた。

ユフィルは占いなんて下らないと思う人間なので、つい白い目を向けてしまう。ただ、フロリカに愚痴をぶつけ、占ってもらった後は決まってディアナは落ち着くので、その点はありがたかった。

「お辛かったですね、お嬢様。……今日はいかが致しましょうか。ライル卿との相性を改めて占いましょうか？」

「いいえ、アークレイン殿下とエステル・フローゼスのこれからの未来を占ってちょうだい。上手くいくのかどうか臣下としては心配で」

絶対に嘘だ。腹の底では不幸になれと思っているに違いない。ユフィルは思わず突っ込んだ。

「かしこまりました。カードで占ってみましょうね」

フロリカは穏やかに微笑むと、綺麗な絵柄のカードを取り出しシャッフルを始めた。

「……波乱の気配が見られますね。お二人には近々試練が訪れるようです」

(誰にでも当てはまりそうな事をもっともらしく言うだけで、一体いくらになるのかしら)

お茶を出した後、ウェイティングルームへと退出したユフィルは、応接室から聞こえてきた占いの結果に心の中で呟く。

波乱のない結婚生活なんてある訳がない。アークレインとエステルは身分差を考えるとありえない組み合わせではないが、この国の第一王子にぽっと出の田舎貴族という格差が感じられる組み合わせだ。育った環境が違えばそれは揉め事の種となる。しかも第一王子は王位継承を巡る政治闘争の渦中の人だ。その結婚生活が前途多難な事は、貴族社会に詳しくないユフィルでも想像がつく。

「……昨日のライル様はずっとあの女の事を見ていたのよ。やっぱり未練があるのかしら……？

それも占ってもらえる？」

ディアナが依頼した追加の依頼を、フロリカは快く了承した。

占いが終わったら、『運気を上げる護符』なる胡散臭いものを高額で売りつけるのがいつもの流れだ。ユフィルには占い師と詐欺師の違いが本気でわからなかった。

十一章　夢の終わる日

エステルは、天秤宮の執務室に乗り込み、アークレインを問い質（ただ）していた。

「どうしてこの招待を受けてはいけないのでしょうか？　ハイディは幼なじみで……エジュレナ女学院時代の学友でもあります」

エステルの手の中には、親友であるハイディ・レジェから送られてきた文学サロンの招待状があった。レジェ伯爵家は北部に領地を持つ領主貴族で、ハイディはエステルにとってライルと同じく、もう一人の幼なじみと言える存在である。

大ローザリア島北部には竜骨山脈と呼ばれる険しい山岳地帯が連なっている。そこは『竜の骨が眠る地』という意味合いで名付けられたと言われている国内最大の飛竜の生息地だ。

レジェ、フローゼス、ウィンティアの三つの伯爵家は、この竜骨山脈を領地に抱えており、自然環境が似通っている事から昔から互助関係にあった。

ライルやシリウスを交え、四人で日が暮れるまで野山を駆け回った記憶はかけがえのないものとしてエステルの中に残っている。

同じ年のハイディとは女学校でも同級生になった。学生時代はキーラ達も交えて一緒に過ごした仲でもあり、領地が近い事から卒業後もずっと行き来があった。王立歌劇場（ロイヤル・オペラハウス）で話しかけてきたマチルダのような自称友人とは違う。付き合いの長さと深さでは他の友人とは比べ物にならない存在だ。サロンへの招待状には、当時仲良くしていた同級生が集まる予定なので、久しぶりに学生時代に戻って語り合いたい、と記載されている。

ハイディは、エステルがロージェル侯爵家の舞踏会で怪我をしてから、ずっと心配して手紙を送り続けてくれていた。どこかで会う機会を持たねばと思っていたので、この招待はエステルにとっては願ってもないものだった。だからアークレインに参加の許可を貰いに来たのだが……。

「私も行かせてはあげたいんだけどね……ライル・ウィンティアがハイディ・レジェと接触したようなんだ」

唐突に出てきた元婚約者の名前に、エステルの心臓がドクンと跳ねた。

「ライルとハイディも幼なじみです。同じ首都にいれば会う機会を持ってもおかしくないと思います」

「もしそのサロンに参加してライルがいたらどうする？　彼は三日前、レジェ伯爵邸で君に会わせろと騒いで先方を困らせたみたいだよ。屈強な使用人につまみ出されたみたいだけどね」

「どうしてそんな事をアーク様がご存知なんですか……？」

「監視を付けていたから。王立歌劇場（ロイヤル・オペラハウス）での彼の視線がどうも気になってね。ディアナ・ポートリエも一応監視対象としてマークしてる」

手回しのいい人だ。エステルは唖然（あぜん）とした。しかしここであっさりと引き下がりたくはない。旧友と会う久々の機会である。

「以前にも申し上げましたが、もしライルと遭遇したとしても、話くらいはしてもいいのではと思っています。常に私には護衛を付けていただいていますし……」

「護衛を付けたとしてもライル・ウィンティアとは会ってもらいたくない。今のあの男は危険だ」

「危険……？」

「素行調査をさせたら良くない報告が上がってきた」

「……どういう事ですか？」

「怪しげな薬物を提供する秘密クラブに出入りしているそうだ」

アークレインの言葉にエステルは息を呑んだ。

「表向きは水煙草を嗜（たしな）む会員制クラブという体を取っている場所だけど、そこではスパイスや蜂蜜などに『エリュシオン』と呼ばれる向精神作用と高い依存性のある薬物を混ぜ合わせたものを提供しているらしいんだ」

「どうしてそんな店が野放しに……」

「もちろん既に首都警察の監視対象にはなっている。ただ、面倒なバックが付いているようで摘発がなかなか難しい」

少数民族の隔離居住地、央（ヤン）系移民が多数住む央華街（ヤンファタウン）、スラムに潜むギャングの組織――首都アルビオンには、首都警察といえども簡単には手出しできない闇は意外に多い。

「どうしてライルはそんな物に手を出したの……」

「ディアナ・ポートリエとの婚約が原因だと思われるね。行きつけのコーヒーハウスでかなり愚痴っていたみたいで……どうも例の水煙草の店も、学校時代の悪友から勧められたようだ」

ドクンと心臓が嫌な音を立てた。

ライルに対する同情と、ほんのわずか、彼の不幸を喜ぶ気持ちが湧き上がった事に自分でも愕然とする。

突然の婚約破棄に怒りを覚えたのは確かだが、それは、ディアナ・ポートリエに対するものだけだと思っていたのに。

(私、ライルに対しても……)

怒っていたんだわ。

こんな醜い感情をアークレインに悟られたくなかった。エステルは取り繕うように話を変える。

「アーク様、ライルが薬物中毒になっていたらハイディが危ないのでは……」

「一応レジェ伯爵邸には人をやって監視はさせている。ライル・ウィンティアに不穏な動きがあれば相応の対処はするつもりだ」

アークレインにここまで言われては引き下がるしかない。

「……友人へのご配慮に感謝致します。私は失礼いたします。断りの手紙を書かなければいけませんので」

「エステル」

どうにか不満を抑えながら席を立とうとしたら、アークレインに呼び止められた。

「外出の許可は出せない。だけどこの天秤宮に友人達を招待してもらう分には構わない。ただし、招待客についてはあらかじめ相談してもらいたいけど」

「いいんですか？」

「うん。王子妃としての社交の練習にもなるだろうから構わないよ。詳細は侍従長と詰めるといい。今日中に話は通しておく」

「ありがとうございます！」

主催をするとなると大変だが、友人との久々の再会のためなら頑張れる。エステルはぱあっと顔を輝かせた。

◆
◆
◆

幾何学模様が施された美しい青い硝子（ガラス）製の水煙管（みずきせる）――その中に詰まった煙を吸い込むと、途端に気分がふわふわし、心地よい酩酊（めいてい）が訪れる。

この水煙草は夢を見せてくれる。その時に現れるのは、決まってライルが子供の頃のまぼろしだった。

目を閉じると浮かび上がるのは、シリウスとハイディ、そしてエステル。四人で自然豊かな野山を泥だらけになって走り回った時の記憶だ。

シリウスとハイディが結婚して、ライルとエステルが結婚すれば大人になってもずっと一緒にいられる。そんな将来の夢を漠然と抱いていたのは、今は遠い過去になってしまった。

あの頃は永遠に楽しい時が続いていくのだと思っていた。

子供の時間が終わった一つの転機は、シリウスが一足先に十二歳になって、ロイヤル・カレッジに入学したあたりだ。その頃にはライルもカレッジへの入学試験対策をしなければいけなかったので、四人で集まる機会は激減した。

シリウスとハイディはお互い憎からず思っていたようだが婚約には至らなかった。ハイディは一人っ子で、婿を取らなければいけない跡取り娘だったから、フローゼス伯爵家の後継者であるシリウスとの結婚は立場上許されなかったのだ。

一方でライルとエステルとの婚約は成立したが、ディアナが割り込んできたせいで破談になった。

ライルは再会する度に女らしく綺麗になっていくエステルが好きだった。エステルもまたライルを第二の兄のように慕ってくれたから、二人で幸せな家庭を作っていくのだと無条件に信じていた。

あの時、暴走する馬車に出くわさなければ、今もライルの隣にいたのはエステルだったに違いない。

あんな馬車など無視していれば良かった。親切心を出して助けた結果が婚約者の交代だ。

馬車の中から出てきた華やかな美人が、ライルに好意の視線を向けてきた時は、男として正直悪い気はしなかった。しかしその女性――ディアナ・ポートリエは金と権力を持つ性質の悪いお嬢様だった。

ディアナの望みを叶えるため、ポートリエ男爵は、財政難に陥っていたウィンティア伯爵家が出入りの商家に作った債権を買い集めて婚約者の挿げ替えを迫ってきた。ライルは家のためにその要求を呑むしかなかった。

ディアナは美人ではあるが性格のきつい女性だった。頻繁に訪問しなければ不機嫌になるし、手土産の内容にも気を遣った。

ディアナの要求を聞く度に心はすり減って行ったし、エステルの姿が脳裏に浮かんだ。ライルはどうしても二人を比べてしまう。一歳しか変わらないはずなのに、甘やかされて育ったディアナは子供っぽくて我が儘だった。

なぜ自分はあの時――債権の書類を手にポートリエ男爵が領地を訪れた時、抵抗しなかったのだろう。

振り返ると、大量の債権書類としたたかな豪商の恫喝に、こちらは完全に呑まれてしまった。また、父からすると、若いシリウスに助けを求めるのはプライドが許さなかったのだろう。

そうこうするうちに首が回らなくなり、ポートリエ男爵の要求を呑むしかない状況に追い込まれていた。

エステルに会いたい。

どろりと濁った眼差しでライルは呟く。

それが常識的に抱いてはいけない考えだとは、既に薬物に侵食されたライルには思い至らない。

第一王子に見初められたせいで、彼女は普通には会えない立場になってしまった。シリウスは所在が不明だ。今のライルに頼れるのはハイディしかいない。この間行った時は断られてしまったけれど、ハイディは優しいから、何度か頼めばいつか了承してくれるはずだ。

秘密クラブを出たライルは、ふわふわとした気分のまま一路ハイディ・レジェの邸を目指した。すれ違う通行人がライルの体に勢いよくぶつかってきたのはその途上だった。道の中央に押し出されたライルの耳に、馬の嘶きが聞こえてくる。そして——。

◆
◆
◆

目を閉じて深く呼吸し、意識を心臓にあるマナに集中させる。

(動け)

念じると、じわりじわりと少しずつマナが動き、か細い経路に流れ込んでゆく。

だけど、以前アークレインが見せてくれた時のように上手くできない。

強く念じても動かせるのはほんの少しだけ。それでも少しでも動かせるようになってきたあたり、初めて異能の訓練方法を教えてもらった時よりも進歩はしている。

それとは別に、マナを巡らせるための経路を意識してわかった事がある。異能の訓練方法を教えてもらった時に、アークレインが立てた仮説に関してだ。

瞳に向かってマナが垂れ流しになっているのではないかという推測は当たっていた。確かにエステルの中には、心臓から瞳にかけて向かうやけに太い経路が存在している。だが、こちらの経路は太すぎて、今のエステルでは自分の意思では止められなかった。

訓練のための集中には思ったよりも早く限界が来る。

医学的にも生理学的にも、人が深い集中を持続させられるのは十五分程度と言われているそうだ。一度集中が乱れると、マナはもうそれ以上は動かない。

エステルは目を開けると、ふうっと息をついた。

ここはアークレインの執務室の続き間である。エステルは今日もこの部屋で過ごしていた。講義に刺繍、乗馬の練習に異能の訓練と、やるべき事は沢山あるので意外に忙しい。

「エステル様、お茶でも淹れましょうか？」

エステルの集中が途切れた事に気付いてか、メイが声をかけてきた。

「ううん、自分で淹れるわ。少し気分転換したい」

エステルは断ると、茶器が用意されている戸棚の前へと移動した。

「そろそろ殿下も一息入れられる頃ですね。エステル様がお持ちすれば喜んでいただけるのではないでしょうか？」

「そう？　ご迷惑にならなければいいんだけど」

そう言いつつもエステルが選んだのは、アークレインが特に気に入っているという銘柄の茶葉だ。お湯の温度と抽出時間に特に気を配りながら、良い香りのするお茶を丁寧に淹れていく。

マナを探ると、隣にいるのはアークレインとクラウスの二人だけのようだ。王族であるアークレインは言わずもがな、クラウスも高位貴族らしくマナが大きいからすぐにわかる。

二人分のティーカップをトレイに載せて隣へと移動しようとしたエステルは、二人のマナが揃って陰ったのを感知してぴたりと足を止めた。

——ライル…………、馬車……事故……。

そんな声がドア越しに聞こえてくる。

「どうかなさいましたか？」

「あ……えっと……マナが二人とも陰ってて……何か難しいお話をされているみたい」

——は……殿下……か？

メイに答える間にも、二人の会話が断続的に聞こえてくる。

「また後で淹れなおす事にするから、一つはメイが飲んで」

エステルは元いた場所に戻ると、誤魔化すように微笑んだ。


(どういう事なの……)

『ライル・ウィンティアが馬車の事故に』

『仕組んだのは殿下ですか？』

クラウスは確かにそう言っていた。エステルは青ざめて自分で自分の体を抱きしめる。

「エステル様、やっぱり先程からご様子が何か変ですが……」

「なんでもないわ」

「…………」

メイは不審そうにしつつもそれ以上は追及してこなかった。よくできた女官だからエステルの意向を汲んでくれたのだろう。

エステルは大きく息をつくと、ソファに深く腰掛けた。

ライルへの気持ちは複雑だ。彼に対する怒りに気付いた瞬間恋心は霧散したけれど、幼なじみとしての情が完全に消え去った訳ではない。だから事故と聞くと心配だった。

◆　◆　◆

アークレインがエステルの所に顔を出したのは、昼の三時を少し過ぎた時だった。

「エステル、公務が一段落ついたから乗馬の練習に行こう」

誘われてチャンスだと思った。ライルの事をアークレインの口から直接聞けるかもしれない。

乗馬用ドレスに着替え、天秤宮の玄関ホールに向かうと、先に待機していたアークレインのマナがエステルの体を包み込んだ。

リーディスの襲撃があってから彼は過保護になった。一緒に外に出る時は必ず念動力の壁をエステルの周囲に張り巡らせてくれる。マナの消耗が激しいため、最長でも二時間程度しか維持できないそうだが、乗馬の練習には十分な時間だ。

（こういう事をされるから……）

ますますエステルの心はアークレインに傾いていく。

馬場に移動すると、エステルの愛馬ルナリスを引いた厩務員が待機していた。その傍にはアークレインの愛馬もいる。アズールという名の青鹿毛(あおかげ)の牡馬(ぼば)だ。

ルナリスには横乗り用の鞍が取り付けられていた。狩猟大会に備えて横乗りの練習をしなければいけないから仕方ないが、たまには普通に跨がって思い切り走らせたい。

横乗りは跨がって乗るよりも技量が要求される。上手い人なら横乗りでも馬を自由自在に操り、障害を飛び越えたりできるのだが、エステルの技量では速歩(はやあし)で走らせるのが精一杯だ。

エステルはルナリスに乗り込むと、まずは馬場をゆっくりと歩かせた。風は冷たくて寒かったが、ルナリスの上から見る馬場の景色は解放感がある。

厩務員から十分な距離を取ったところで、アークレインが馬首を並べて話しかけてきた。

「何か私に聞きたい事がありそうだね」

アークレインに先手を打たれてエステルは驚いた。そんなにわかりやすく顔に出ていたのだろうか。

「ライル・ウィンティアの馬車の事故」

核心を突かれ、びくりと身をすくませると、ふっと笑われた。

「メイから午前中、突然君の様子がおかしくなったと報告を受けている。君はもう少し内心を隠す訓練をした方がいい。私とクラウスの話を聞いてしまったんだよね」

「申し訳ありません。立ち聞きするようなはしたない真似をして」

「別に怒ってはいないよ。不愉快ではあるけど」

それは怒っているのと何が違うのだろう。アークレインの負の感情が視えてエステルは萎縮する。

「どうして元婚約者の事をそんなに気にするの？　幼なじみだから？」

「そうですね、もう一人の兄のような存在でしたから」

「……なるほど」

（嫉妬……？　ううん、そんなはずない）

そんな人らしい感情をこの人が持っているとは思えない。良くてお気に入りのおもちゃに対する独占欲というところだろう。

分析をするエステルをよそに、アークレインはライルの事故について話し始めた。

「ライル・ウィンティアが馬車に轢かれたのは事実だ。幸い命に別条はなかったけど、腰と足の骨を折ったらしく、病院に担ぎ込まれた」

「彼にとって療養生活は厳しいものになるだろうね。どれくらいの期間秘密クラブに出入りしていたかは知らないけど、多かれ少なかれ禁断症状は出るはずだ」

「入院をきっかけに、薬から抜け出す事はできるのでしょうか？」

「さあ……哀れだと思うけど、そこは彼自身が乗り越えるしかない」

エステルの知るライルは怪しい薬物に手を出すような人ではなかったのに。幼なじみの転落に気が重くなった。

「事故だったんですよね？　どうしてクラウス様はアーク様を疑うような事を……」

「私にとって目障りな存在だから」

「えっ」

エステルは驚いてアークレインの方を見た。しかし残念ながらその表情は逆光になって見えない。

「君の元婚約者が薬物中毒になっているというだけでもいい醜聞のネタなのに、君に会うためにレジェ伯爵邸で騒ぎまで起こしている。記者に嗅ぎつけられたら確実に面倒な事になる」

「あ……」

確かにその通りだ。

「だからってアーク様がライルに何かするだなんて……」

ありえない、と言いきれない自分に気付いてエステルは愕然とした。

『王冠を賭けた恋』で有名なギルフィス公は新大陸で妻共々事故死した。その事故には、王家直属の諜報機関が関わっているのではないかという噂がある。

「私は何もしてない。エステルが信じられるかはまた別の話だけどね」

冷たい声だった。まるでエステルの疑いを見透かしているかのような態度に嫌な汗が流れる。

アークレインはエステルを大切にしてくれる。だから信じなければいけないのに、どうしても信じきれない。ライルはエステルにとって言わば地雷だ。エステルを守るために排除しようとしてもおかしくない。

アークレインの突き放すような態度が心に刺さる。この人が好きなのに。どうして信じきれないのだろう。

「……速度を上げようか」

これでこの話は終わり、そう突き放されたような気がした。

常歩から速歩へ。足を使ってルナリスにスピードを上げるよう指示を出す。

ここまでは問題ない。できないのはこの先、駈歩だ。

ルナリスはしっかりと調教された温厚な馬なのだが、横乗りだとその指示が上手く通らなくなる。跨がって乗った時には難なくできる動作だけに悔しい。

「何が気に食わないのよ」

エステルはため息混じりにルナリスの体を撫でた。

「体のバランスの取り方が原因だと思う。その子は賢いから、エステルの体重のかけ方では速度を出すと危ないって理解してるんだ」

引き返してきたアークレインの指摘は自分でもなんとなくわかっている。

「わかってってもできないんです。男性はいいですよね、跨がって乗れるんだから」

「速歩がそれだけできれば狩猟大会で困る事はないと思うけどね」

アークレインが苦笑いした直後だった。

遠くから何かが飛んできて、エステルの右肩辺りでバチンと弾けた。驚いたルナリスが大きく嘶き、棹立ちになる。

「エステル！」

アークレインの声が聞こえた。

エステルは反射的に手綱を手繰り寄せ、全身の筋肉を使って振り落とされないようバランスを取る。

「大丈夫。大丈夫だよ、ルナリス。落ち着いて」

ルナリスの体を撫でて落ち着かせたところで、エステルはアークレインの手が所在なさげに伸ばされているのに気付いた。

「あ……もしかして可愛らしく助けて頂いた方が良かったでしょうか？」

「いや……なんとか宥められてよかったね」

「ルナリスだからたぶん落とされずに済んだんです」

元々の気性に加え、ルナリスとエステルの間には信頼関係もある。エステルはもう一度ルナリスのたてがみを撫でてやった。


その後は、待機していた厩務員や王室護衛官（ロイヤルガード）が駆け付けてきて大騒ぎになった。

エステルが右肩に受けた衝撃の正体はクロスボウの矢だった。アークレインの異能で保護されていなければ大怪我をしていたに違いないと思うとぞっとする。

乗馬の練習はお開きになり、エステルはアークレインと一緒に天秤宮へと戻る事になった。

「アーク様、ありがとうございます。異能で守って頂いていなかったらどうなっていたか……」

「いや、こちらこそ怖い思いをさせて悪かった。そろそろ何かしてくるかなとは思ってたんだけど」

道すがらお礼を言うと逆に謝られた。アークレインの言葉からは、これが日常茶飯事だという事がうかがえる。

「異能で防げるのにどうしてしつこく狙ってくるんでしょうか……」

「嫌がらせのためだろうね。狙われる以上、私は外では常に気が抜けない」

アークレインの言葉に胸が締め付けられ、彼の置かれた状況に対する怒りがふつふつと湧いた。

一番腹立たしいのは仕掛けてくる第二王子派だが、アークレインを宮殿から解放しようとしない国王にも腹が立つ。

「どうして国王陛下はアーク様を宮殿に留めおくんでしょうか……」

「父上は私を後継者にと望んでいて……何度抗議しても聞いて下さらない。それに、一度父上は倒れているからね。万が一の時のために成年王族を外に出す訳にもいかないんだよ」

エステルの疑問に答えると、アークレインは苦笑いした。

◆ ◆ ◆

それからのアークレインはずっと機嫌が悪かった。

顔には出さないようにしているようだが、エステルの異能は彼の負の感情を視てしまう。

エステルがアークレインを疑ってしまったせいだろうか。それともクロスボウで狙われたせいだろうか。

クロスボウでエステルを狙った犯人は、すぐに護衛官達が追跡してくれたが、結局見つからなかったようだ。

「っ……！」

鬱々と考えながらマントの刺繍をしていたのが良くなかったのか、左手の指先に勢いよく針を突き刺してしまい、エステルは顔をしかめた。

針で突いた所から血が出てきて、ぷっくりと玉のように盛り上がる。

マントに血を付ける訳にはいかない。手も疲れてきたところだったので、エステルは生地を慎重に机の上に置くと、手巾を指先に当てた。すると赤い鮮血が染みて滲む。分厚い生地への刺繍なので、力がいるし使用する針も太い。勢い余ってかなり深く刺してしまったようだ。

女官を呼んで手当してもらおう。そう思い、ベルに手を伸ばした時だった。

エステルがいるのは共通の寝室である。そのドアがノックされた。入室の許可を出すと、ナイトウェア姿のアークレインが顔を出した。

「エステル、その手、どうしたの？」

アークレインはエステルを見て目を丸くした。

「ぼんやりしていて……今女官を呼ぼうかと思っていたところです」

「救急箱なら確かこの辺りに……」

アークレインは戸棚から大きな木箱を取り出すと、エステルの傍に移動してきた。

「見せて」

「アーク様が手当てして下さるんですか？」

「これくらいなら女官を呼ぶまでもないよ」

アークレインはまだ血が滲む指先に清潔なガーゼを当てると、器用に包帯を巻いて固定してくれた。

「ありがとうございます」

「刺繍が原因だよね。ならこの怪我は私にも責任がある」

「……そうですね。マントを刺繍していてできた傷ですから」

「言うようになったね」

アークレインはようやく楽しげに微笑んだ。そして机の上のマントの傍に移動すると刺繍部分に触れる。

「ありがとう。綺麗にできてるね」

「お気に召して頂いて良かったです」

刺繍は日々の努力のおかげで明日には完成しそうだ。かなり気を遣って丁寧に刺したので我ながらなかなかの出来だ。エステルの作業が終わった後は、生地に裏地や装飾を付ける作業が待っている。王室の象徴であるロイヤルブルーのマントを纏ったアークレインは眩いくらいに凛々（りり）しいに違いない。

「アーク様」

アークレインの機嫌が上向いた今なら聞ける気がした。

ライルの馬車の事故の事だ。もっとしっかりとアークレインの口から否定してもらって、信じられる材料が欲しい。

「ライルの件は、本当にアーク様ではないんですよね」

「……まだ疑ってるのか」

アークレインはため息をついた。

「排除を考えた事は否定しない。迷惑な事にライル・ウィンティアは病院でずっと君の名を呼んでいるそうだ。すぐにこちらの方で緘口令は敷いたけどね……」

怒っているというよりはうんざりとした表情だった。

「正直今からでも消してやりたい気分に駆られる。でもしない。どのような形であれ彼が傷付いたら君は心を痛める。それは私にとって望ましくない」

「それは、どういう……」

「エステルには私の絶対的な味方になってほしいから。君の信頼を裏切るような真似はしない」

アークレインの手がエステルの頬に伸ばされた。

「自分でも驚いているんだけど、私はどうやらあの男に嫉妬しているようなんだ」

「え……」

「エステルの今の婚約者は私だ。君が前の婚約者の事を考えるかと思うといい気はしない」

アークレインのその言葉を聞いて、エステルは驚くと同時にどこか昏い悦びを覚えた。

およそ人らしい感情などなさそうなこの人が、エステルに対して独占欲のような感情を抱いているなんて。もっともっと、この人の感情をこちらに向けたい。そのためにはどうすればいいんだろう。

「エステル」

アークレインは小さな声で囁きかけてきた。

「もし私が先に進みたいと言ったらどこまで許してくれる？」

「先に……とはどういう事、ですか……？」

戸惑うエステルをよそに、アークレインは指先をエステルの頬から胸元へと移動させた。そして服の上から胸の膨らみの上部に触れる。

「前にここに痕を遺したよね。そろそろ一緒に暮らし始めて一か月だ。その先の段階に進んでもいい頃かなって」

エステルは目を見開いた。

いずれ抱く、そう宣言はされていたけれど、まさか今日求められるとは思わなかった。

健康な男女が同じベッドで眠って、これまで何も無かった方がおかしいという事はわかる。女として求められて嬉しいという気持ちも湧き上がる。だけど、簡単に身も心も許してしまうのはダメだと思った。

頭の中をよぎったのは、シエラ主催のティーパーティーに参加した時の事だ。あのティーパーティーはエステルの母親世代の女性の参加が多かった。

人生の先輩であるマダム達は、アークレインに見初められた（という事になっている）エステルを祝福すると同時に心配し、男性の本能やら夫婦生活が上手くいく心得などを、こちらが思わず引いてしまうくらいの勢いで伝授してくれた。

男性は誰しもハンターの気質を持っているそうだ。

原始時代には、男は妻と子供を養うために狩りに出かけ、女は周囲との調和をはかりながら子供を育てた。だから文明が発達した今もなお、男性の中には狩猟本能とでも言うべきものが存在しているらしい。

ハンターは苦労して得た獲物ほど大切にするものだ。

百戦錬磨のマダム達は力説していた。男性に対しては、手が届きそうで届かない女を演出するのが重要なのだ、と。

ああ、でも――。


「まだそこまでは許せない……？」

どこか切なげな表情で求められたら拒めない。

「いいえ……」

エステルは俯くと、消え入りそうなくらい小さな声で返事をした。

「私はアーク様の婚約者ですから、お望みであれば受け入れるだけです」

なけなしの矜持(きょうじ)を総動員し、抱かれてもいいけれどそれは義務としてだ、と言外に込めて告げる。

自分の中にあるこの気持ちは絶対に悟らせない。気付かれたら、彼の中でのエステルは、身も心も簡単に落ちる安い女になってしまうだろうから。

◆　◆　◆

寝室の照明が落ちたのを確認し、エステルはガウンを脱いだ。その下のナイトウェアは、男性と夜を過ごす事を想定して作られた煽情的なデザインのものだが、こういう場合、脱いだ方が良いのだろうか。

自分から脱ぐのははしたないし恥ずかしい。どうしていいかわからず、ベッドの上で逡巡しているうちに、アークレインがこちらにやってきた。

カーテンは閉め切られているのに、月明かりがかすかに差し込んできて、ナイトウェアの合わせ目から鎖骨や逞しい胸板が覗いているのが見えた。

相手の体がそれだけ見えるという事は、アークレインからもエステルの体が見えてしまうという事だ。

どうしよう。自分の体はアークレインほど綺麗じゃない。天秤宮のご飯が美味しい上にあまり自由に外に出られないから、最近お腹にお肉がついてきたし、どんなに減量を試みても細くならない太めの下半身はコンプレックスだ。

「怖い？」

恐怖、不安、羞恥、ほんの少しの期待に未知への好奇心、そんなものが入り交じってエステルは極度の緊張状態にあった。体の震えが止まらない。それをアークレインは恐れと捉えたようだ。

「はじめてなので……」

「なるべく優しくする。……まずはこれを付けて」

アークレインはエステルに魔導石の付いたブレスレットを差し出してきた。

「魔導具ですか……？」

「王家に伝わる古代遺物(アーティファクト)の一つだよ。生殖を抑制する効果がある」

「せっ……」

かあっと頬を染めたエステルに、アークレインが笑ったのが気配でわかった。

「エステルを宮殿に迎え入れた時に父上から渡されたんだ。まだ子供ができたら困るから、少なくとも式までは付け続けてほしい。王族の結婚式は丸一日拘束されるから体に負担になるし、ドレスも好きなデザインのものを着られなくなる」

式まで。これ一回では終わらないと暗に告げられたような気がして、顔から火を噴くかと思うくらい恥ずかしい。

アークレインはエステルが左腕にブレスレットをはめたのを確認すると、その腕を取りマナを注ぎ込んだ。そしてそのまま左手を口元に持っていき、薬指の婚約指輪に口付ける。

まるで騎士の誓いのようだ。

エステルの緊張が緩んだのを感じたのか、アークレインはそのままエステルを引き寄せた。

◆　◆　◆

「ごめん、最後はあまり気遣えなかった」

全てが終わった後の囁きに、エステルはふるふると首を横に振った。

最中のアークレインは、少し意地悪なところがあったけど、優しかったと思う。いつもの紳士的な態度そのままに、丁寧にエステルを愛してくれた。

痛みはあったけれど、それは初めてだからきっと仕方ないのだ。いつか気持ちよくなる時がくるとはとても思えないけれど。

「初めての相手がアークレイン殿下で良かったです」

恥ずかしくて目を逸らしながらそう告げると、アークレインのマナがぱあっと明るくなった。

驚いて視線を戻すと、アークレインは口元を押さえていた。

「アーク様？」

「……エステルの異能は厄介だ。見えてるんだろ」

今度は曇った。マナの色の変化やアークレインの態度から読み取れる感情は――。

(まさか、照れていらっしゃるの……？)

信じられない気持ちでアークレインを見つめると、左の上腕部に唇を落とされた。そこは、エステルがアークレインを庇って付いた消えない傷痕がある場所だ。

「この時の襲撃のおかげでエステルに会えた。……でも」

次は左手を取られた。指先に巻かれた包帯の上から口付けられる。

「きれいな体なのに私のせいで傷だらけだ。ごめんね」

「アーク様のせいではないです」

悪いのは襲ってきた襲撃者だ。

求婚された時はその強引さに腹が立ったけれど、アークレインに巡り会えた事は結果的に悪くなかったと今では思える。

出会って三か月と少し、紳士的な態度と優しさに簡単に絆(ほだ)されすぎかもしれないけれど――。

優しく抱き込まれ、人肌の温もりにとろとろと心が溶けていく。

◆
◆
◆

目覚めると、既にアークレインの姿は寝室になかった。時計を見ると、お昼近くになっていたので、既に公務に向かったのだろう。

ベッドから起き上がろうとしたエステルは、下半身の痛みに頬を紅潮させた。

生まれたままの姿だし、明るい日差しの中で体を確認すると、あちこちに口付けの痕がついている。

そこかしこに残る情事の痕跡が恥ずかしい。

全てをアークレインに暴かれ、また、こちらも彼を知ったのだ。嬉しい一方で、どこか満たされない寂しさのようなものが湧き上がって心がざわめいた。

一人の男性の事を想ってこんなに気持ちがぐちゃぐちゃになるのは初めてだ。これが小説や戯曲に描かれる、身を焦がすような恋というものに違いない。

アークレインは婚約者という地位をくれた。体も重ねた。大切にしてくれる。でもたった一人の異性に向ける感情はくれない。それが悲しくて切ない。万人に向けられる穏やかな優しさではなくて、もっと熱く情熱的な、たった一人に向けられる感情が欲しい。

ライルの事は好きだったけど、ここまでの焼き焦がすような感情を抱いた事はなかった。

もしかしたらあれは兄弟愛とか友情の延長線上にあったもので、本当の恋ではなかったのかもしれない。そう思えるくらいに、今のエステルの中でアークレインの存在は大きくなっていた。

だけどエステルにも矜持がある。みっともなく愛を乞うような真似はしたくなかった。

この気持ちは絶対にアークレインには気付かせない。気付かれたらエステルの価値を下げるだけでなく、この恋愛感情を利用される。そういう事をやりかねない人だ。頭の中をオリヴィア・レインズワースの姿がよぎった。

エステルは大きなため息をつくと、ベッド脇の椅子に無造作に引っ掛けられていたナイトウェアを手に取って簡単に身支度をした。

体を少し動かすだけであちこちに軋(きし)むような痛みが走る。起き上がれない事はないが体が重い。

初夜を偽装した日、やけに周りに気遣われた理由を理解する。

お腹が空いた。体もなんだかベタベタして気持ち悪い。

女官を呼ぶためにベルを鳴らそうとして、エステルはベッドサイドのテーブルにメモが置かれているのに気が付いた。そこには流麗な文字で、『今日のスケジュールは空けてあるのでゆっくりと休んでほしい』と書かれていた。

アークレインの筆跡だ。エステルは目を伏せると指先で文字をなぞった。

エステルの元に訪れたのはリアではなく、事情をよく知るメイだったので少しだけ安心する。見た目そのままにいつも冷静なメイは、余計な事は言わないからだ。これがリアならきゃあきゃあとはしゃぐに違いない。明るく感情表現が素直なリアに救われている部分もあるが、今は隣で騒がれたくない気分だった。

「お体の具合は大丈夫ですか？」

「……まだ少し痛むの。変な歩き方になってない？」

「ちゃんと歩けていらっしゃいますよ。おめでとうございますと申し上げてよろしいでしょうか」

「……そうね、ありがとう」

エステルは曖昧に微笑んだ。

これからは周りの人間にも気持ちを悟らせないようにしなくてはいけない。メイやクラウス、ニールあたりに気付かれたらアークレインに筒抜けになるに決まっている。

メイは察しがいい。エステルの多くを語りたくない今の気持ちを感じ取ってくれたのか、淡々と仕事をこなすと女官のための控え室へと下がっていった。

軽食でお腹を満たし、昨夜の痕跡を全て洗い流すとようやく人心地つく。

エステルの体を気遣ってか、メイが用意してくれた着替えは、コルセットを必要としないゆったりとしたティーガウンだった。このティーガウンはアークレインに用意してもらった衣装の一つで、裾に行くほど濃いピンクのグラデーションになっているのがとても可愛らしい。

綺麗な服を着ると気持ちが上がる。エステルはガウンの裾を摘んで笑みを浮かべると、共通の寝室にやりかけの刺繍を取りに行った。

◆　◆　◆

遂にマントの刺繍が仕上がった。

メイがエステルの部屋に戻ってきたのは、完成した刺繍を前に自画自賛していた時だった。

「エステル様、少しよろしいですか？」

「メイ、ちょうど良かった。マントの刺繍が仕上がったの」

エステルはロイヤルブルーの生地を広げ、紋章の刺繍を入れた所をメイに見せた。

「綺麗に仕上がってますね。お仕立てのためにお預かりしてもいいですか？」

「ええ。……ところで何か用だった？」

エステルはメイに生地を手渡しながら、ここを訪れた理由について尋ねた。

「応接室まで移動できそうですか？　フローゼス伯爵がお出でになっています」

「お兄様が？　突然どうして？」

「領地に何かあったようで、急遽戻らなくてはいけなくなったとか……」

何があったのだろう。心配だ。

「すぐ行くわ」

エステルは立ち上がると、メイの先導に従って応接室へと向かった。


応接室に入ると、アークレインがシリウスの相手をしていた。

エステルの顔を見るなりアークレインが席を立ち近付いてくる。

「エステル、体の調子は？」

「エステル、調子が悪いのか？」

アークレインの態度を見て、シリウスは表情を曇らせた。

「最近凄く寒かったから風邪気味だったの。アーク様が大袈裟なのよ」

本当の事は言えないのでエステルは慌てて適当に誤魔化した。そしてアークレインの隣、シリウスの向かい側の席に座る。

「そんな事よりお兄様、フローゼスで何かあったの？　もう領地に帰るって聞いたんだけど……」

例年通りだと北部の竜生息地で飛竜の討伐が始まるのは二月の末あたりからだ。まだ月が変わったばかりなので、領地に戻るには少し早い。

「ああ……今年は雪が少ないせいか、そろそろ竜に目覚めの兆候があるらしいんだ。それで少し竜伐の時期を早めようって話になって……それだけだよ」

「怪我しないでね……」

今年からエステルは手伝えない。と言っても女は裏方の仕事をするだけなのだが、竜伐は怪我人や遭難者が出る事もある危険な仕事なので心配だ。

「今年は新式の竜伐銃と人員を殿下から支援して頂いたから、去年より楽に狩れるはずだ。だからそんな顔するな」

シリウスは立ち上がると、エステルの頭に手を伸ばし、くしゃくしゃと掻き回した。

「もう！　髪がぐしゃぐしゃになったじゃない」

思わず身を引くと、シリウスは楽しげに目を細めた。

「殿下、エステルにも会えましたしそろそろおいとましようと思います。色々と足りないところもあるでしょうが、どうか妹をよろしくお願いします」

シリウスはそう言うと、アークレインに向かって一礼した。

「夏にはまとまった休暇が取れる予定なのでそちらに行かせて頂きたいと思っています。エステルが生まれ育った土地を見たいので」

「是非いらして下さい。お待ちしております」

エステルは思わずアークレインの横顔を見つめた。

夏にはフローゼスに帰れる。望郷の想いと共に、心が熱を帯びた。

◆　◆　◆

一度体を重ねた事で、エステルとアークレインの距離は確実に縮まった。ベッドに入るなり腕の中に抱き込まれる。

また今夜もするのだろうか。緊張に身を硬くすると、宥めるように髪を梳かれた。

「そんなに警戒しなくていいよ。今日は何もしない。寒いから引っ付いただけ」

その言葉にほっとすると、ため息をつかれた。

「昨日は血が出てたしまだ体が辛いよね？　そんな状態の女の子を求めるほど酷い男と思われてたら心外だ」

「アーク様が優しいのは知ってます。でも若い男性はそういう事が……お好きですよね……？」

「健全な男として否定はしないけど、痛みが完全に引くまではさすがにしないよ。可愛らしく反応するエステルに意地悪するのは楽しいけど、痛みを与えるのは趣味じゃないんだ」

「意地悪もしないで下さい……」

「努力する」

絶対嘘だ。しないと言いきらないあたりはまだ良心的なのかもしれない。

エステルは諦めてアークレインに身を委ねた。

細身に見えても筋肉がしっかりとついているからか、アークレインは体温が高い。引っ付いているると温石がいらないくらい温かかった。

「君とシリウス殿は相変わらず仲がいいね。昼間は羨ましくなったよ」

「この世にたった二人の兄妹で……あ……」

エステルははっと口を押さえた。

シリウスとエステルがこの世にたった二人の兄妹なのと同じで、アークレインとリーディスも腹違いとはいえ兄弟だ。シリウスとの関係はエステルにとっては誇らしいものだが、それをアークレインに告げるのは無神経に思えた。

「気にしなくていい。王族と領主貴族では育つ環境が違う。そもそも私とリーディスは母親が違うし年齢だって離れている。それにあいつはシリウス殿と違って性格にも問題がある」

「兄は人格者ではありませんよ？　がさつだし適当ですし……」

「堅実に領地を治めて家族を大切にしている。十分立派な人だよ」

身内を褒められるとなんだかむず痒い。

「そういえば、兄はまだライルが事故に遭った事は知らないみたいですね」

「今のところ上手く口止めできてるみたいだね。ただ、時間の問題だと思う。ライル・ウィンティアとディアナ・ポートリエの婚約が白紙に戻った」

「えっ……」

エステルは息を呑んだ。

「ポートリエ男爵は相当な額の手切れ金をウィンティア伯爵家に支払ったそうだ。薬物中毒者を娘婿には迎えたくないという気持ちはわかるけど、なんと言っていいのか……」

エステルも同感だった。お金の力でエステルからライルを奪ったくせに、お金の力で捨てるだなんて。

怪しい薬物に手を出したライルに全面的な非があるとは思うが、そもそも彼がそうなったのは、ポートリエ男爵が強引に婚約者の挿げ替えを行ったせいではないか。

ディアナは今、恋した相手がこんな事になって、悲しんでいるのだろうか。それとも怒っているのだろうか。彼女とは直接言葉を交わした事がないから推測するしかないが、なんとなく後者のような気がした。

「エステル、君は彼に会いたい？」

唐突に質問され、エステルは硬直した。どう答えるのが正解なのだろう。咄嗟に答えを出せず躊躇うと、アークレインは苦笑いした。

「私の機嫌を窺うんじゃなくて、エステル自身の気持ちで決めていい。……と言ったところで、君は私の感情を読み取ろうとしてしまうだろうから本音は伝えておく。正直、私としては会ってもらいたくはない」

アークレインは一度言葉を切った。

「今の彼は薬物からの離脱症状で苦しんでいる。激しい苦痛と幻覚の症状が出ているようでかなり暴れるから、鉄格子の付いた病室の中で拘束されているそうだ。そんな状態の元婚約者に会わせたいとは到底思えない。君が変に同情するかもしれないと思うと不愉快になるし、心を痛める姿も見たくない」

アークレインの心情はもっともなものだ。今のエステルはアークレインの婚約者なのだから、会わないという選択をするのがきっと正しい。

「……そんなふうに思っていらっしゃるのに、なぜライルに会いたいかとお聞きになるんですか?」

「もう一人の兄のような存在だったんだろう?　もしエステルに今の彼を見る覚悟があって、会いたいと願うのならそれを止めてはいけないと思っただけだ」

(凄く嫌そう)

でも、エステルの気持ちを尊重しようとしてくれる姿勢は嬉しかった。

エステルは両目を閉じて深呼吸をする。そして、アークレインをじっと見つめると、きっぱりと告げた。

「会いません。ライル・ウィンティアは私にとっては過去の人です。今後関わるつもりはありませんし、関わってはいけないと思います」

今のエステルはアークレインの婚約者だ。ライルと会ってもし噂になれば、この人の足を引っ張ってしまう。

「わかった。今後彼が君を煩わせる事がないようこちらでも相応の対応をする」

「……何をなさるんですか?」

「危害を加えるという意味じゃない。薬物中毒者のための療養所（サナトリウム）を紹介するだけだ。パラマ島にいい施設がある」

エステルの警戒心を感じたのか、アークレインは弁解するように教えてくれた。

王子妃教育の中で詰め込まれた地理の知識を引っ張り出す。パラマ島は大ローザリア島の南西にある小さな島だ。地理的にはアークレインと小旅行に向かったキルデアから近いので、きっと冬でも温暖で過ごしやすい所だろう。

「船便が一日に一回しか出ない離島だから、薬物には絶対手を出せない環境なんだ。王家が後援して監査体制もしっかりしているから、その手の療養所にありがちな虐待や非人道的な扱いもないと保証する」

「ライルにそこまでして下さるのは私のためですか？」

「そうだ。『覚醒者』であるエステルにはそれだけの価値がある」

『覚醒者』としてのエステルの『価値』。

エステルを抱き寄せる腕はこんなにも優しいのに、彼にとってのエステルは、やはり駒やカードと同じような扱いなのだ。

それでも傍にあるこの温もりが愛おしい。

エステルは、アークレインの筋肉質な胸に頬を寄せ、目を瞑った。

◆　◆　◆

ディアナ・ポートリエは、首都郊外にある病院を訪れていた。

「お嬢様、本当に行かれるおつもりですか……？」

ここまで同行してきた護衛を兼ねた従者は、不安げに眉をひそめている。

「うるさいわね。行くわよ。だってここにライル様が入院してるって聞いたんだもの」

この病院は富裕層のための病院だ。上流階級から莫大な寄付金を集めているだけあって、外観も内装も下手な貴族の邸よりも豪華である。

「面会ですか？　お約束はございますか？」

中に入ると受付の職員から声をかけられた。首都でも最高峰の病院だけあって、高位貴族に仕える執事（バトラー）のように物腰が優雅だ。

「ええ」

「では、そちらの申請書へのご記入をお願い致します」

この病院では、入院患者の秘密を守るため、事前の約束のない面会は受けてくれない。約束を取り付ける際も、患者との続柄を伝え、印章などで身分を証明する必要があった。

ディアナは書類に必要事項を記入すると、印章入りの指輪と一緒に職員に渡す。

「……確かにお父上からご連絡を頂いております。ご案内致します」

職員は優雅に一礼すると、ディアナを院内へと誘った。

職員に付いてライルが入院しているという病棟に移動したディアナは、一気に様変わりした雰囲気に動揺した。絵画や花などの装飾が一切無くなり、無機質な白い壁と板張りの廊下がどこまでも続いている。

「どうしてこの病棟はこんなに殺風景なの？」

「心に不調を抱えた方のための病棟になりますので。患者様にとって危険なものは置かないようにしております」

職員の説明にディアナの心臓が嫌な音を立てた。

婚約者のライルが事故に遭い、大怪我をしたという連絡が来たのは三日前の事だ。

お見舞いに行きたくてやきもきしていたディアナだったが、入院先の病院名を知らされる前に、父から婚約を白紙に戻すと言われ仰天した。理由として父が挙げたのは、ライルが薬物中毒になっているという信じ難い情報だ。そんな男とディアナを婚姻させる事はできないというのが父の言い分だった。

ディアナにとって、父の一方的な通告はとても納得できるものではなかった。

抵抗するディアナに父は入院中のライルの様子を見るよう言いつけた。現実を見れば諦めがつくと思ったのだろう。

病棟に入ると、案内役は受付の職員から白衣を身に着けた看護婦に変わった。

廊下を歩いていると時折呻（うめ）き声や叫び声が聞こえてくるのが恐ろしい。

「こちらです、お嬢様。ライル卿は今、薬物の離脱症状で苦しんでいらっしゃいますので、あまり驚かれないでくださいね」

そう前置きされ、案内された病室のベッドにライルは横たわっていた。その姿にディアナは息を呑んだ。

腰にはコルセット、足にはギプスを巻かれ、両腕をベルト状の拘束具で戒められたライルは、げっそりとやつれた顔で中空を見つめ、ぶつぶつと何事か呟いている。

「……ステル……エステル……」

呟いているのがエステル・フローゼスの名前だと気付いた時、ディアナは呆然とすると同時に怒りに打ち震えた。

(なんで……なんであの女ばっかり)

同時に、もうこれはいらないと思った。

こんな人いらない。知らない。目の前にいるこいつは、ディアナが好きになった貴公子じゃない。もっと早くに気付けば良かった。

暴走する馬車からディアナを助けてくれた姿が凛々しくて格好良かったから、どうしても欲しくなってエステル・フローゼスから奪ったものの、婚約者になったライルは思い返すと気の利かない男だった。

こちらから催促しなければ会いに来ないし、手土産も最初は同じものばかり持ってきた。言えば改善したし、エスコートは紳士的でスマートだったけれど、所詮ライルは田舎貴族だ。エステル・フローゼスが手に入れたアークレイン王子に比べれば全てが見劣りする。

「ディアナお嬢様……」

エステルへの嫉妬と怒りに顔を真っ赤にするディアナに、従者が遠慮がちに声をかけた。

するとようやく訪問者がいる事に気付いたのか、ライルの瞳がディアナの姿を捉える。

その、次の瞬間——。

「あああああぁっ!!」

ライルの喉から絶叫が迸った。

「この魔女め！　俺の目の前から消えろ！　うわあああああぁっ!!」

(は？)

ディアナは呆気に取られ目を見開いた。

魔女？

(私に向かって言ったの？)

「魔女！　悪魔！　このクソ女が！」

ライルはディアナに向かって聞くに耐えない俗語を交じえ、口汚く罵りながらベッドの上で暴れている。拘束されていなければ恐らく摑みかかってきたであろう勢いだ。

「ライル卿、落ち着いて。ここには魔女も悪魔もいませんから」

看護婦はライルに覆い被さると、優しく話しかけて宥めた。

「お嬢様、恐らくライル卿はせん妄の症状が出ているんです。これは薬物の離脱症状の一つで……」

「解説は結構よ。帰ります」

ディアナは目を冷たく細めると、踵を返した。

「お、お嬢様……」

青ざめながら声をかけてくる従者を無視し、ディアナはカツカツと大股で病室を出た。

こんな屈辱は初めてだ。

（エステル・フローゼス）

全部全部あいつのせいだ。ディアナは爪を噛みながら憎しみを募らせた。

◆◆◆

翌日、ディアナは邸にお気に入りの占い師であるフロリカを呼び出した。

フロリカはルプト族出身という触れ込みの褐色の肌の女性である。ルプト族というのは、移動型の生活を送る流浪の民の一部族だ。彼らのほとんどは遊牧や旅芸人をしながら放浪生活を営んでいる。

占術もまた彼らの得意とするところだ。タロットや水晶占いはルプト族によってもたらされたものだと言われている。

独自の神を信仰する事から、広くメサイア教が信仰される地域では根強い人種差別と迫害を受けてきた。

このローザリア王国においてもそれは例外ではなく、彼らは少数民族の隔離区域への居住を半ば強制されている。

ディアナの中にも異民族に対する忌避意識はある。しかし占いに関しては別だ。ディアナはフロリカを腕のいい占い師だと思っている。使えるものは親の仇（かたき）であっても使う。それは、商家として成り上がったポートリエ男爵家に根付いた家訓とも言える考え方だった。

民族衣装を身に纏ったフロリカは神秘的だ。彼女を通した応接室にはいつものお香が焚（た）かれ、東洋的（オリエンタル）な香りが漂っている。フロリカによるとこのお香は、霊的なインスピレーションを高める効果があるそうだ。

「お嬢様、本日はどのような占いをご所望ですか？」

「今日は占いを頼みたくて呼び出したんじゃないのよ」

フロリカの質問にディアナはそう答えると、応接室から使用人を追い払った。控えの間からも出ていくように言いつける。

「いつもと違って随分と念入りに人払いされるのですね」

「今日は誰にも相談内容を聞かれたくないの」

「まあ……一体どんなご相談でしょうか」

フロリカは首を傾げた。ディアナはそんな彼女の正面に座ると、思い切って切り出す。

「ルプト族は呪術が使えると聞いた事があるんだけど本当？」

「呪術、でございますか？」

「ええ。呪術とか黒魔術とか……あなたがそういう事に長（た）けていると聞いたのよ」

「……呪いたいくらい憎んでいるのはフローゼス伯爵令嬢ですか？」

普段の相談内容を考えればそんな事はお見通しだろう。ディアナはこくりと頷いた。

「結論から申し上げますと私に呪いは使えません。でも、そうですね……代わりになるような物でしたら……」

フロリカは言いながら左の袖口をまくった。

そこには、細いリング状の腕輪がいくつもはまっている。フロリカはそのうちの一つを外すとディアナに見せてきた。腕輪には魔導石らしい鉱物が埋め込まれ、金属部分には古代ラ・テーヌ王国時代の文字らしき楔形（くさびがた）の文様がびっしりと刻まれている。

「それってまさか、古代遺物（アーティファクト）……？」

フロリカは穏やかな微笑みを浮かべた。

「ええ、私の一族に代々伝わる古代遺物です。人の体を作り替える力があります」

「作り替える……？」

「ええ、この古代遺物の力を使えば、呪いなんて不確定なものに頼らずとも直接的に憎い相手に手を下す事ができると思いませんか？　例えば、エステル嬢の側仕えに変身して――」

「待って。直接人を傷付けるだなんて、さすがにそれはちょっと……」

「どうして？　呪いたいくらい憎いんですよね」

ディアナの発言に、フロリカは小首を傾げた。

「それはそうだけど……呪いをかけるのと直接人を傷付けるのは別よ。……そもそも宮殿の中にいる人に何かするなんて無理だわ。あの女にはいつも護衛がついているもの」

「そんなもの、この古代遺物を使えばどうとでもなります」

ディアナは腕輪を差し出してくるフロリカの漆黒の瞳から目を離せなくなった。なんだか頭がくらくらして、その瞳の中に吸い込まれそうな気がしてくる。

やけにお香の匂いが鼻についた。

部屋中に立ちこめる紫色の煙の向こうから、女性にしては低めの声が囁きかけてくる。

「呪いたいくらい憎いのでしょう。ならば、お嬢様の手で一矢報いてやればいいじゃないですか」

甘く穏やかな囁きに、頭がふわふわしてきた。

まるで聖典に出てくる人を堕落に誘う悪魔の囁きだ。こんな言葉に頷いてはいけないと思うのに、何故か逆らえない。

「憎いんですよね、エステル・フローゼスが。ライル卿と上手くいかないのも、あの方が薬物に手を出したのもあの女のせいですもの」

「にくい……」

そうだ。憎い。

あの女ばっかり恵まれている。ライル様は私の婚約者になったのにあの女をずっと目で追い続けていたし、今もまだ追いかけている。なのにあの女は王子様に見初められて、今年の秋には王子妃になるという噂だ。

こんな事許されない。許さない。どうしてあんな冴えない女ばかりちやほやされるのだ。私の方がずっと美人だしお金持ちなのに。爵位は低いかもしれないが、ポートリエ男爵家にはそれを補ってあまりある財産がある。一昔前ならいざ知らず、今は領主貴族よりも資産家の方が強い力を持っている。

目の前にフロリカの手が差し出された。

「ご決断なさって下さい、ディアナ様。私と、私の仲間があなたのお力になりますから」

十二章　愚者は踊る

痛い。痛い痛い痛い。

全身の骨が、肉が、ばらばらに引きちぎられそうだ。

「う……ぐ……、あ、ああああああっ!!」

ディアナはフロリカの前で無様に蹲(うずくま)り悲鳴を上げた。

ここは、フロリカが手配した首都郊外、イーストエンドと呼ばれる地区にある民家の一室だ。

フロリカの隣には、フロリカの協力者が攫(さら)ってきたエステルに仕える女官、リア・エンブリーが気を失って倒れている。

「もう少しですよ、ディアナ様、頑張って」

必死に痛みを堪えるディアナを前にしても、フロリカは穏やかな笑みを崩さない。

(この女、頭おかしい)

罵倒してやりたい。でも痛すぎてそれどころじゃない。

「体を他人のものそっくりに作り替えるには、残念ながら苦痛が伴うものなんです。だって人は一人一人顔だけじゃなくて骨格も臓器の形も違いますから」

それなら古代遺物(アーティファクト)の腕輪を使う前に説明してほしかった。

「うあああああ、痛い痛い痛い痛いぃッ‼」

いっそ気絶できたら楽になれるのに。

体のあちこちがみしみし、ぎしぎしと音を立てる。

この苦痛は、フロリカから渡された腕輪をはめ、その腕輪の魔導石にリア・エンブリーの血液を垂らした瞬間から始まった。

フロリカが言うには、血液を通してリアの身体情報を取り込み、ディアナの全身をリアのものに作り替えるための代償らしい。

——一体どれほどの時が経ったのだろう。

叫びすぎて声を上げる気力すらなくなり、ディアナは虚ろな眼差しで床に倒れ込み、中空を見つめていた。

ひゅう、ひゅう、と喉から掠(かす)れた呼吸音がする。

「よく頑張りましたね、ディアナ様。ご覧下さい。どこからどう見てもそこの女官そっくりになりましたよ」

フロリカは、ディアナの傍に座り込み、手鏡でディアナの姿を映して見せてくる。

ディアナは鏡に映った自分の姿に目を見張った。

確かにリアになっていた。ほくろも、顎にあるにきびさえも再現されている。

重い体を叱咤(しった)し、手を持ち上げて再び驚く。指の形も爪の形も肌の色合いも、全てがこれまでの自分のものとは違う他人のそれになっていた。今更ながらに恐ろしくなって体が震える。

「ほんとに……変わっ……、ゲホッ、ゲホゲホッ！」

叫びすぎたせいで喉が焼け付くように熱く、言葉の途中で噎せてしまった。すかさずフロリカが水の入ったグラスを差し出してくる。

ディアナは半身を起こすとグラスを引ったくり、ゴクゴクと飲み干した。

ただの水なのにものすごく美味しかった。疲れきった体に染み渡る。

フロリカは、ディアナの左腕に手を伸ばすと、古代遺物の腕輪をパチリと外した。

「……取ってしまうの？」

「ええ、もう役目を果たしましたから。宮殿には無許可で魔導具の類は持ち込めませんしね。外しても一週間程度はその姿が維持されますのでご安心下さい」

「そう……」

骨格や内臓さえも作り変えてしまうというだけあって、ディアナの口から出た声も、聞き慣れた自分のものではなくなっていた。

「私はこれからどうすればいいの……？」

「まずはご入浴を。酷い汗です。すっきりしてからこれからの事をお話ししましょう」

フロリカは微笑むと、ディアナに手を差し伸べた。

フロリカはどういう手を使ったのか、リアが休暇で外出したところを狙って攫ってきたらしい。

「ディアナお嬢様、今からはリアと呼ばせていただきますね。あなたは外出中に頭を強く打ち、記憶が曖昧になっているという事にしましょう。宮殿に潜り込んだら、そういう事にしてどうにか乗り切ってください」

「わかったわ」

フロリカの言葉にディアナは頷いた。側仕えの女官が何をするのかは、ユフィルの仕事ぶりを見ているからなんとなく想像がつく。

ディアナ自身は傷心を癒やすため、首都から遠く離れた観光地まで旅行に行ったという事にしてある。家族に対する口裏合わせには、侍女（レディースメイド）であるユフィルを使った。ユフィルはお金さえ与えておけば犬のように忠実になる現金な人物だ。今頃大量に与えたチップを片手に、観光地で楽しく遊んでいる事だろう。

「これをお使い下さい」

フロリカが小さな硝子（ガラス）瓶を差し出してきた。

「無味無臭の致死毒が入っています」

「……隙を狙ってこれをあの女に盛ればいいのね」

「ええ、首尾よく事が終わったらなるべく早く宮殿の外に出てください」

「そんな余裕があるのかしら？」

「毒が効き始めるまで早ければ二十分、遅ければ三時間程度かかります、なるべく急がれた方がいいでしょう」

「……そうね」

ディアナは小瓶を受け取り、ぎゅっと握りしめた。そして自分の中に渦巻く殺意を改めて自覚する。

エステル・フローゼスが憎い。憎い憎い憎い。

不思議とこの民家にも、フロリカが占いの時に焚くお香の香りがした。

◆◆◆

フロリカは、金で雇った男の手引きでディアナが宮殿に向かうのを確認してから深く息をついた。

そして服の袖口で乱暴に口紅を拭うと、ディアナから回収した古代遺物（アーティファクト）の腕輪を左腕にはめ、顔をしかめた。

『変身（メタモルフォーゼ）の腕輪』。これはそう呼ばれる非常に強力な古代遺物である。血液を吸収させた相手にそっくりそのまま変身できるのだが、骨格からほくろ、痘痕（あばた）に至るまで再現するのだから恐ろしい。

これを使えば筋骨隆々の大男でもほっそりとした美女に変身できるのだ。余分な質量がどこに消えるのかはわからないが、考えるだけ無駄だと思っている。そもそも古代遺物は人智（じんち）を超えた失伝（ロスト）技術（テクノロジー）で造られているのだから。ただ一つ確かなのは、これを使って姿を変えると、その度に猛烈な痛みに襲われるという事だ。また、骨格から使用者の体を作り替える過程は、正直かなり気持ち悪い。骨が、そして肉がぼこぼこと盛り上がり、変身が終わるまでは化け物のようになる。

その痛みを体験するのかと思うと憂鬱になるが、この顔はそろそろ捨てる時期だ。

『フロリカ』は深呼吸をして腹をくくると、腕輪にマナを流した。腕輪による変身の効果は勝手に放っておいてもいずれ切れるが、腕輪にマナを流すと自在に制御ができる。

「ぐっ……」

途端に猛烈な痛みが全身を襲い、『フロリカ』はその場に蹲った。ぼこぼこと腕の肉が盛り上がり、全身の骨が軋む。

（あー、クソ、いってぇ……）

何度体験してもこの痛みには慣れない。しかしこの腕輪は『フロリカ』――いや、『トリックスター』と呼ばれる彼を、正体不明の裏社会の住人たらしめていた。

失せ物探しから暗殺まで、金次第でなんでもやる便利屋。それが彼、『トリックスター』だ。『トリックスター』の異名は、時に神話に出てくる悪戯好きの神のように、状況をひっかきまわして雲隠れする事から名付けられた。そんな彼の行動原理は、『楽しければそれでいい』だ。

そうこうしているうちにだんだん痛みが薄れてきた。

自分の腕を確認すると太さが変わっている。細く頼りない女の腕ではなく、それなりに前腕筋の発達した腕を目にして彼は口元に笑みを浮かべた。

『トリックスター』は立ち上がると鏡のある奥の部屋へと移動した。そして室内に置かれていた鏡台を覗き込む。すると、ルプト族の特徴である褐色の肌に漆黒の髪と瞳を持つ若い男の姿が映しだされた。

大丈夫だ。ちゃんと元に戻っている。ほっと息をつくと、『トリックスター』は久しぶりに見る本来の自分の姿を観察した。

髪型も顔も『フロリカ』になる前と全く同じ状態なのが自分でも不思議だ。特に髭が伸びている気配がないところは我ながら不気味である。

(次は何になろうかな)

ルプト族の占い師はどこにでも入り込めて、『客』を探すのには便利だったが差別対象になるのが難点だ。この国は流浪の民には生き辛い構造になっている。もし次に変身するのなら、どこにでもいそうな平凡顔のローザリア人男性がいい。平凡顔なら人ごみに埋没できるし、この国は男尊女卑だから男の方が自由に動ける。幸い馬鹿な依頼人が大金を落としてくれたおかげでしばらくは働かなくても大丈夫だ。

(上手くいけばいいですね、レインズワース侯爵夫人にウィンティア伯爵夫人)

『トリックスター』は、その馬鹿な依頼人達の名を心の中で呟いた。

今回彼がディアナ・ポートリエを第一王子アークレインの婚約者、エステル・フローゼスに対する刺客に仕立てあげたのは、二人の依頼人の願いを叶えるためだった。いや、占いの顧客だったディアナも入れると三人だ。

娘のオリヴィアをアークレイン王子の妃にしたかったレインズワース侯爵夫人は、その直前で王子に見初められたエステルが憎い。ウィンティア伯爵夫人は息子のライルを薬物中毒に追い込んだディアナが憎い。そしてディアナはエステルが憎い。

それぞれの依頼者から話を聞いた時、この計画が天啓のように閃いた。我ながら天才的である。ディアナは短絡的で頭の足りないお嬢様だ。一族に伝わる練香(ねりこう)を使った暗示は単純であるほどかかりやすい。その様子を見ると、正直暗殺が成功する確率はかなり低いと思っている。

しかし『トリックスター』にとって、暗殺の成否はどうでもよかった。彼が受けた依頼は、エステルとディアナへの嫌がらせであって確実な殺害ではないからだ。そんな事よりも、リアに化けたディアナという異物を放り込んだ後の宮殿の混乱が見たい。上流階級の澄ました連中が右往左往する様子は下手な演劇よりも刺激的な見世物である。

『トリックスター』は目を細めるとにんまりと笑みを浮かべた。

◆　◆　◆

休暇で外出していたリアが怪我をして帰ってきた。朝一番でその知らせを聞いたエステルは、慌てて情報を知らせてくれたメイに質問した。

「リアの怪我の具合は？　一体何があったの？」

「階段から落ちて頭を強くぶつけたようです。怪我の具合は大した事はないようなのですが、記憶が混濁しているようで……」

医師だという男性に付き添われ、昨夜遅くに戻ってきたリアは、自分の名前や天秤宮で働いていた事は思い出せるものの、女官としてここでどのような働き方をしていたのか、また、フローゼス伯爵領で働いていた時の事など、かなりの記憶が欠落している状態らしい。

「そんな状態で戻ってきたなんて……これまで通り働いてもらうのは難しそうね」

「そうですね、本人はできると主張してはいますが……」

エステルはリアが心配で顔を曇らせた。メイも表情が暗い。

「今、リアはどうしてるの？」

「とりあえず今日のところは部屋で休むように伝えています。こちらに呼びましょうか？」

「いいえ、私が行くわ。リアは控えの間にいるの？」

エステル付きの女官であるメイとリアは、夜中の呼び出しにも応じられるよう、エステルの私室に設けられた職員用のウェイティングルームで寝起きしている。エステルは立ち上がると、リアの様子を見に行く事にした。


リアは、ウェイティングルームのベッドの上で読書をしていたようだった。その姿を視界に入れたエステルは目を見開く。

（リア……なの……？）

目の前にいるのは確かにリアだ。こっそりと左手の甲に視線をやって、親指の付け根にほくろがある事を確認する。茶色の髪も、青紫の瞳の色もリアそのものだ。

顎には赤いにきびが一つ。これもエステルの記憶の中のリアと一致する。休暇に入る前、吹き出物ができたとリアが嘆いていたからだ。

……なのに。

どうしてこんなにリアが持つマナの量が多いのだろう。まるで貴族並みだ。おかしいのはそれだけではない。エステルを視界に入れた瞬間からマナが一気に陰った。強い負の感情を感じる。こんな感情をリアから向けられた事は今までに一度もない。

「リア……？」

「エステル……、様」

「あ……体調はどう？　頭を打ったと聞いたけど……」

「体は大丈夫です。でも、何も覚えていなくて……」

「……それならフローゼスに帰る？　家族の元でゆっくりと静養した方がいいんじゃない？」

リアはフローゼス伯爵領の農村の出身だ。その実家は決して裕福ではないが、家族仲は良いのだと自慢していた。

「お、お傍で働かせてください。私、ここで働いていた事以外何も思い出せなくて……ここにいる方が記憶が戻る気がします」

「……そう」

ここに居たいと懇願する癖に、感情はずっとどす黒い。訳がわからなくてエステルは眉間に皺を寄せた。

リアにはゆっくりと休むように伝え、エステルはメイを伴い自分の部屋へと戻った。そして声をひそめてメイに囁く。

「あれはリアじゃないかもしれない」

「え……」

「マナの量が違うの。リアのマナはあんなに多くなかった。中級の貴族並みにあるのよ」

「…………」

メイは顎に手を当てると思案の表情をした。そして、少しの間を置いてから口を開く。

「……見た目はリアそのものなんですよね。手や顔のほくろの位置も顎のにきびも、休暇前のリアと一致します」

「……ごめんなさい。変な事言ってるわよね、私」

しゅんと落ち込んだエステルに向かってメイは首を振った。

「いえ、実は私もリアには違和感を抱いておりました」

「違和感？」

「はい。人には誰しも癖がございます。歩き方、食事の時のカトラリーの使い方、言葉遣い……ちょっとした仕草にも人それぞれに個性があって、そこには生まれや育ち、また男女の性別差や年齢などが出ます」

確かに労働者と上流階級では所作も言葉遣いも違う。どんなに服装を取り繕っても、生まれた時からの教育の差を埋めるには並々ならぬ努力がいる。

「休暇前のリアと今のリアは確実に違います。なんというか今のリアは……首都で育った上流階級の女性という印象を受けます」

　エステルは目を見張った。

「どうしてそう思ったの？」

「言葉遣いや仕草などを総合的に見た結果です。今のリアは休暇前までのリアと違って、とても綺麗な発音のローザリア語を使います。所作もどこか優雅になっていますし……エステル様が異能で視（み）たリアのマナの量とも合致すると思いませんか」

「……どこかの貴族の女性がリアに化けている、という事？」

「記憶喪失という言い分も怪しいですし、その可能性が高いのではないかと。裏の世界のオークションでは、時に思いもよらぬ効果の古代遺物（アーティファクト）が売りに出されると聞きます。……早急に殿下に報告を入れた方がよさそうですね」

　メイの発言に心臓がどくりと嫌な音を立てた。

◆◆◆

　エステルとメイからリアについての報告を執務室で受けたアークレインは、苦虫を噛み潰したような表情をした。

「確かにそこまで材料が揃うと怪しすぎて笑えてくるね」

「笑い事ではありません、殿下」

苦い表情で口を挟んだのは、アークレインと一緒に執務室にいたクラウスだ。

「そうだね。リアに化けて刺客が潜入してきたとすれば、狙われているのは恐らくエステルだ」

アークレインは胸の前で手を組むと、無表情で呟いた。

（負の感情……これは、怒り……？）

エステルの危機に怒っている。それが嬉しい。

でも、今の状況で喜ぶなんて不謹慎だ。あのリアが偽物だとしたら本物のリアの危機である。主人としては、彼女をまず第一に心配するべきなのに。

（最低だ、私）

エステルは自分を恥じて俯いた。

「本物のリアは大丈夫でしょうか……」

「すぐに足取りを追わせる」

アークレインはクラウスに目配せした。クラウスは頷くと執務室を退出する。リアの行方を探すよう指示を出しに行くのだろう。

「偽リアには今日は休むように伝えているんだよね？」

「はい」

「なら今日のところはとりあえず泳がせよう。エステルは絶対に一人にはならない事。それもできるだけ私の傍で過ごした方がいいな……講義は休みにしよう」

「はい……ご配慮いただきありがとうございます」

リアが心配で何も手に付きそうになかったから、アークレインの申し出はありがたかった。

「本物のリアが上手く見つかればいいけど……それにしても厄介だな。姿形をそこまで他人に似せてきたという事は、恐らく古代遺物（アーティファクト）が関わっている。天秤宮の中に他に侵入者がいないかも合わせて調査しないと……」

アークレインは苦い表情で呟いた。

「リアの捜索の結果にかかわらず、天秤宮内の精査が終わり次第仕掛ける。エステル、一応心の準備はしておいてほしい」

アークレインの言葉にエステルは息を呑んだ。リアが五体満足で返ってくる保証はどこにもない事に今更ながらに気付いたのだ。

（リアに何かあったら……）

アークレインを恨んでしまうかもしれない。エステルは俯くと唇を噛んだ。

◆
◆
◆

（なんでこんな事私がやらなきゃいけないのよ）

ディアナ・ポートリエの心の中は不平不満でいっぱいだった。

エステル付きの女官、リア・エンブリーに扮（ふん）してアルビオン宮殿に潜入したはいいものの、朝早くから叩き起こされて、仕事を次々と言いつけられたからだ。

認めたくは無いが、エステルはこの天秤宮の女主人だ。その女主人付きの女官の仕事なのだ。主人の髪や衣装を整えて話し相手になる程度だと思っていたのに。

まさかベッドメイクや部屋の掃除をやらされるとは思わなかった。

（ユフィルはこんな事してなかったわよ）

少なくともポートリエ男爵邸では、掃除は家内女中（ハウスメイド）の仕事だった。

裕福な貴族の邸宅では使用人の仕事は分業化されているものだ。例えば洗濯は洗濯女中（ランドリーメイド）が、料理は料理女中（キッチンメイド）が担当し、担当外の他の仕事はしない。分業によって高度な専門性を持つ使用人を多数雇用するのが富裕層の証しである。

そのはずなのに、この天秤宮は常に人手不足の状態らしい。そこには、信頼できる職員以外は置きたくないというアークレイン王子の意向が働いているそうだが、働く側からするとたまったものではない。

「掃除の基本は上から下よ。そんな事も忘れてしまったの？　まずは上からはたきをかけて埃を全部床に落とすの」

「端を丸く掃くなんてどういう神経してるのかしら」

「シーツはもっとピンと張らないと。ほら、もっと力を入れて引っ張って！」

（うるさいうるさい）

メイベル・ツァオという同じエステル付きの女官がまた口うるさくて鬱陶しい。央（ヤン）系移民である事が明らかな名前と容姿がよりディアナを苛立（いらだ）たせる。

（移民の癖に生意気なのよ。お前みたいな異国人は央華街（ヤンファタウン）に引き篭もってなさいよ）

時折視界に入るエステルが、アークレイン王子と仲睦まじく見えるのがまた怒りを煽る。

気に食わないと言えば、古代遺物（アーティファクト）によって変えられたこの見た目も許せなかった。

リア・エンブリーは冴えない容貌の女だ。地味な茶色の髪も、北の田舎者の証しである紫がかった青の瞳も、荒れて吹き出物が出ている肌も、何もかもが気に入らない。

特にディアナに堪えたのは、頻繁に視界に入ってくる無骨な形の手だ。寒さと乾燥であかぎれができているし爪も短く切られていて全然綺麗じゃない。白く、細く、爪の先まで磨きこまれた本来の自分の手が恋しかった。

ちゃんとこの体は元に戻るのだろうか。

フロリカは戻ると言っていたが、その時には、体が変化した時のとんでもない苦痛をまた味わう事になるのではないだろうか。

冷静に考えると色々と不安になる。しかし元の自分の容姿に戻るためなら、仮にあの苦痛があったとしても我慢できる。それくらいこのリアの容姿は気に入らない。こんな見た目では折角王子様が傍にいる環境なのに、恥ずかしすぎて近寄る事もできやしない。

ルプト族特製の練香を使った暗示は、それをかけた『トリックスター』ですら預かり知らぬ方向へとディアナの思考を歪め始めていた。

……本当の私はエステルなんかよりずっとずっと綺麗なんだもの。ライルが私のものになったように、アークレイン殿下も本来の私を見れば私のものになってくれるのではないかしら。

そうよ、あの女がいるキラキラとした場所は、綺麗な私にこそふさわしいわ。

私を見てもらうためには、邪魔な女を排除しなければ。そのためにも今は我慢の時期だ。女官としての仕事をちゃんとこなして、毒を盛る機会を窺うのだ。

ディアナは心の中の怒りを必死に心の奥に閉じ込めて、嫌々ながらも労働にいそしんだ。

◆
◆
◆

エステル・フローゼスに一服盛る機会は、昼下がりになってからようやく訪れた。

「掃除は全くダメね……何か女官としての仕事で覚えている事はないの？」

「お茶を淹れる事ならできそうな気がします」

メイベルからの質問に、ディアナはぼやかしながら答えた。毒を盛るための発言ではあるが、ディアナはお茶を淹れる技術には自信があった。

ポートリエ男爵家は元々東洋、主にガンディアとの貿易で財を成した家だ。ティークリッパーと呼ばれる新鋭の快速魔導船の開発にいち早く目をつけ、ガンディアからの紅茶の輸送期間を大幅に短縮した事が今の資産の基礎を作った。

今でもお茶はポートリエ商会の主力商品だ。だからディアナは、幼い頃から様々な品種のお茶の淹れ方を仕込まれた。これは、ポートリエ男爵家の一員として、社交界で新商品を披露し商機に繋げるためである。

「……それなら試しに午後のお茶をあなたに任せようかしら。エステル様もあなたの事を心配していて、顔を見せてほしいと仰っていたから」

「本当ですか？」

ディアナはぱあっと顔を輝かせた。ようやくエステルに近付く機会が訪れた。さっさと毒を盛ってこんな所退散しよう。そして、元の顔に戻ってアークレイン王子に会う機会を作ってもらわなければ。

「どんなお茶を淹れればいいでしょうか？」

うきうきとしながら尋ねるディアナは気付かない。メイベルの視線が酷く冷たくなった事に。

ようやく足を踏み入れる事が許されたエステルの部屋は、歴史的価値に満ち溢れていた。

（リシャールの家具にコルトナ工房製のシャンデリア……こっちの花瓶は央の海藍磁器だわ……）

いずれも非常に貴重な骨董品で、博物館に展示されていてもおかしくない代物だ。

特に海藍磁器は全ての陶磁器の原点にして最高峰と謳われており、この部屋に置かれているのは、恐らくその中でも最も価値が高いとされる時代の物である。

どんなにお金を積んでも手に入らないアンティークを使い、かつ上品にまとめられた部屋を目の当たりにし、ディアナは再びエステルに対する嫉妬心が燃え上がるのを感じた。

北の田舎者の癖になんて生意気なんだろう。この部屋は私にこそふさわしいものだ。

ディアナは心の中で悪態をつきながらも、慣れた手つきでティーセットの準備をした。このティーセットもまた国産の有名なメーカー製の高級品だ。

本当は雑巾の搾り汁でも入れてやりたいところだが、メイベルとエステルの目があるから残念ながらできない。仕方がないので自分の持つ技術を駆使し、最高に美味しいお茶を淹れてやる。これが最期の一杯になるのだから、はなむけとしてそれくらいしてやってもいいだろう。

茶葉の量、お湯の温度、抽出時間、全てに気を配り、最後にこっそりと袖口に隠しておいた小瓶の中身をティーカップに垂らす。

「お待ちなさい。薬物検査ができていないわ」

エステルに給仕しようとした瞬間、メイベルが口を出してきた。

「えっ……」

「暗殺対策です。殿下やエステル様に飲食物をお持ちする時は、用意した者が毒見をしなければなりません」

(何それ。そんな事聞いてないわよ……)

ディアナが戸惑っている間に、メイベルは戸棚へと移動するとスポイトと小さな容器を取り出した。そしてティーカップからお茶を採取すると容器に移し、ディアナに差し出す。

「飲みなさい」

無理だ。そんな事できる訳ない。その中には、フロリカから渡された致死性の猛毒が入っている。

「どうしたの？　リア。こんなの形式上のものよ？」

エステルも促してくる。ぐいっと毒見用の容器を手に押し付けられた。

「……どうして飲まない」

躊躇い、視線をさまよわせるディアナに、メイベルが殺気をはらんだ目を向けた。

ディアナはギリ、と歯噛みすると、容器を床に叩きつけた。そしてその場を逃げ出そうとして
——唐突にくるりと視界が反転し、大きく目を見張る。

かと思ったら、一拍置いて背中に息もできないくらいの衝撃を受けた。

「かはっ……」

一体何が起こったのだろう。気が付いたらディアナは床に転がされていて、上からメイベルに押さえ込まれていた。

女官のお仕着せの襟元を絞められ、息ができない。

涙目になったディアナの頭に、魔導銃の銃口が突き付けられた。銃を構えているのは、青ざめた表情のエステルだ。

「吐け。お前は何者だ、偽者」

メイベルに厳しく問いただされ、背中に嫌な汗が流れた。

どうしてバレたんだろう。顔も体格も骨格も、にきびやほくろの位置まで含めて今の自分はリア・エンブリーになっているはずなのに。

「本物のリアはどこ？　もし傷一つでも付けていたら私はあなたを許さない」

エステルも震えながら怒りの声を向けてくる。

「偽者ってなんですか？　私はリア・エンブリーです。王室女官の……」

ディアナはあまり頭の回転がいい方ではない。しかしそれでもわかる。偽者だという事がバレたらまずい。他人に化けて宮殿に無断で侵入したのだ。捕まるだけでは済まないかもしれない。

「人間、誰しも言葉遣いには生い立ちが出るものだ。お前の話し言葉にはリアにあった北の訛りがない。歩き方の癖も違う。化けるならもう少し上手く演じればいいものを……」

吐き捨てたのはメイベルだ。

「誤解です。私はリアです！」

「リアはそんな目を私に向けないわ」

エステルは悲しげな眼差しを向けてくる。

「酷いですエステル様！　私はリアです！　信じてください！」

必死にディアナは否定した。

騒ぎを聞きつけたのか、外から何人もの護衛官が駆け付け、勢いよく部屋に飛び込んできた。

瞬く間にディアナは拘束され、エステルの部屋から引きずり出される。

最悪だ。どうしてこうなったんだろう。自問自答したが答えは出なかった。

◆　◆　◆

メイベルと天秤宮付きの王室護衛官に制圧されたディアナが連れていかれたのは、地下にある無骨な鉄格子付きの牢獄だった。

宮殿の地下にこんな部屋があるなんて。と思ったところで、王室の陰惨な歴史が脳裏をよぎる。ローザリアは五百年以上の歴史を持つ国だ。その歴史の中で幾度となく玉座は血に塗れてきた。秘密の地下牢や拷問部屋の一つや二つあってもおかしくない。

牢の中は寒くてかび臭かった。絨毯や壁紙の類は一切なく、石造りの床と壁がむき出しになっている。そして、部屋の中央には奇妙な形の椅子だけが置かれていた。

その椅子が罪人の拘束用だと気付いたのは、強引に座らされた後だった。椅子には手枷と足枷が付いており、ディアナは瞬く間に身動きが取れなくなる。

どうしよう。最悪だ。

今更ながらにしでかした事の大きさに気付いて青ざめていると、視界によく磨きこまれた靴が入ってきた。驚いて顔を上げると、この天秤宮の主であるアークレインの姿があった。

理想的なパーツを理想的に配置した美貌が冷たくこちらを見下ろしている。キラキラと輝く金色の髪も、最高級のサファイアのような青い瞳もすごく綺麗だ。

状況を忘れ思わず見惚れるディアナに、アークレインが話しかけてきた。

「一応弁解を聞こうか。リア・エンブリーの偽者」

本当の事なんて話せる訳がない。話せばポートリエ男爵家にも累が及ぶ。沈黙したディアナに、アークレインはなおも語りかけてくる。

「優しく聞いているうちに話した方がいい。話したくなる気分にさせる方法なんていくらでもある」

アークレインは背後に目配せした。すると、控えていた侍従らしき東洋人が、太い針をアークレインに手渡した。

「な……何をなさるおつもりですか……？」

無表情で近付いてくるアークレインが怖い。思わず尋ねると、アークレインは冷笑をディアナに向けた。

「ここに突き刺す。きっと凄く痛いだろうね。お前は何本まで耐えられるかな？」

アークレインが針先で示したのはディアナの指と爪の間だった。

さあっとディアナは青ざめた。それは有名な拷問ではないか。

指先には神経が集中している。爪の間に針を刺す拷問は、大の男でもよっぽどの根性がないと耐えられないと聞いた事がある。一本や二本なら耐えられても、爪は手足で合計二十本もあるのだ。大抵途中で脱落し、泣いて許しを懇願するらしい。

アークレインは針をディアナの手の爪の間に潜り込ませてきた。

「嫌！　やめて！　なんでも話すから！」

まだ本格的に突き刺された訳ではない。でも、爪に太い針先が触れただけで無理だと思った。

「私はディアナ・ポートリエよ！　古代遺物（アーティファクト）の力でこうなったの！　お願いだから痛い事はしないで！」

「……自称ディアナ・ポートリエ。自分が偽者であるという事は認めるんだな」

「認める！　認めるわ」

「姿形を変えてしまうとは大した古代遺物だけど、一体どこで手に入れた」

「ル、ルプト族の占い師が持ってた」

「へえ……」

アークレインはすっと目を細めると、容赦なく針先を進めようとした。

「いっ……やだやだやめて！　喋ってるじゃない。なんでも話すからお願い！　突き刺さないで！」

ディアナはチクリとした痛みに悲鳴を上げ、必死に懇願した。

怖い。アークレインが発する異様な威圧感に、本能的な恐怖が呼び覚まされる。

「ルプトの占い師とは何者だ」

「名前はフロリカ……その女がエステルを殺せって……」

そうだ。自分はあの女に唆(そそのか)されたのだ。でも、どうして殺さなくてはいけない気になったんだろう。

ライルの心に居座るエステルが嫌いだった。ライルに捨てられたくせに簡単にアークレインを捕まえたのも気に入らなかった。その癖ライルはずっとエステルを想っていて、挙げ句怪しい薬物に手を出した。

あまりに憎らしいから呪ってやろうと思った。しかし、だからと言って殺したいとまでは思ってなかった。

ディアナは青ざめるとガタガタと震えた。つい先程までの自分の思考が異常だった事に今更ながら気付いたのだ。

「お前が所持していた毒……風船魚由来の神経毒だな。簡単に手に入るものを使うあたりが小賢しい」

風船魚は恐ろしい毒を持っているため、この国では網にかかっても捨てられる魚だが、東洋ではフグと呼ばれ珍味として食べられている魚である。

「そんなの今初めて知った！　それだってフロリカがくれたのよ……」

「本物のリアはどこだ。誘拐したのはお前の家の手の者か？」

「違う！　お父様も家も何も関係ない！　全部フロリカがお膳立てしたの！　リアもフロリカの所にいるはずよ！」

「場所は」

「イーストエンドの民家……でもそこから移動していたら私にはわからない……」

どうしよう。どうしよう。どうしよう。

宮殿への不法侵入。それも毒を持参してだ。王室への大逆罪に問われてもおかしくない行為をやらかした。大逆は極刑に問われる大罪である。

（わたし、処刑され……）

極度の緊張と恐怖で、涙が溢れた。

「やだやだ処刑なんてやだ！　そんなつもりじゃなかったの！　ごめんなさい！　フロリカが！　全部フロリカが仕組んだのよ！」

みっともなく泣きながら必死に訴えるディアナを見るアークレインの眼差しは、酷く冷たかった。

◆
◆
◆

リアが見つかったという報告をエステルがメイから受けたのは、偽リアが護衛官達に連れていかれて二時間ほどが経過した時だった。

下町の民家で発見されたリアは、酷く憔悴していたそうだ。

エステルは慌ててリアが運び込まれた客室へと飛び込んだ。すると、中にはアークレインがいて、こちらに向かって口元に人差し指を立てる仕草をした。

「ついさっき眠ったばっかりなんだ」

「アーク様、リアの体の状態はどうなんでしょうか……?」

ベッドの上のリアは、青白い顔で眠っている。

「攫われてから水も食事も口にしていなかったみたいで衰弱はしているけれど、命に別条はないって。何者かに襲われて気絶して、目が覚めたら誰もいない場所に縛られて閉じ込められていたそうだ」

手足に擦り傷があるが、それは体を拘束するロープをなんとか解こうとしてできたものらしい。

「よく居場所がわかりましたね。偽リアが白状したんですか?」

「ちょっと脅したらあっさり吐いた。こっちが拍子抜けするくらい簡単に、聞いてもいない事までペラペラ話してくれたよ」

一体どんな脅し方をしたのだろうか。エステルは思わず顔を曇らせた。

尋問はアークレインとハオランの二人で行ったようだ。エステルも立ち合いを希望したが、女性が見るものではないとの理由で断られた。密室で何が行われたのか気になるが、追及しない方が良いのだろうか。

「私は君に信用がないね。ほとんど何もしていない。ただ、聞かれた事に答えないと、爪の間に針を突っ込むって言ってやっただけだ」

聞くだけで痛そうだ。顔をしかめるとアークレインは軽く肩をすくめた。

「一応弁解しておくと、爪の間に針を当てただけでそれ以上の事はしてないよ。それだけでなんでも喋るからやめてくれって泣きわめきながら懇願してきたからね」

「……そうなんですか？」

アークレインはどこかうんざりとした表情で頷くと、大きく息をついた。

「……ここで長々と話してリアを起こすのも悪いから場所を移そう。私の部屋でいいかな？」

「はい」

その提案にエステルは了承すると、差し出された手を取った。

ここで暮らし始めて二か月以上が経つが、アークレインの部屋に招かれるのは、天秤宮の中を案内された時以来だ。

室内に置かれた調度の品質はエステルの部屋と似たような印象だが、内装の雰囲気はより男性的になっている。前回は気付かなかったが、部屋の片隅にお酒を保管するための魔導具が置かれているのを発見し、エステルは目を見張った。

(あまりお酒を嗜まれる方じゃないのに……)

「もしかしてお茶よりお酒の方が良かった？　でもエステルはあまり飲めないんだよね」

「はい」

お茶を淹れかけていたアークレインに尋ねられ、エステルは頷いた。

正確にはお酒には弱いという事にしているのだが、あえて今それを言う必要もないだろう。

エステルは一定の量を超えて飲むと記憶が飛ぶ。そしてその間はかなり面倒な性格に変わるらしい。だから天秤宮に入る時に、エステルは兄と叔父からくれぐれも酒の量には気を付けるよう注意されていた。

(二人揃ってそう言ってくるという事は、相当に酒癖が悪いって事よね)

心の中で肩を落としたエステルの元に、アークレインがいい香りのする紅茶を持ってきてくれた。

そして、エステルの隣に腰掛ける。少し前までは考えられない距離感だ。エステルは、それを自然と受け入れている自分に驚いた。

「意外です。お部屋にお酒を置いていらっしゃるなんて」

エステルは、内心の動揺を誤魔化しながら話しかける。

「これは勉強用。もしかしたら気付いてるかもしれないけど、あんまりアルコールは好きじゃない」

「やっぱり。そうだと思ってました」

「飲めない訳じゃないんだけど、喉を通る時の焼けるような感覚が苦手なんだ」

アークレインは苦笑いした。

「社交の時に全く飲めない、味もわからないとは言えないからね。必要に応じて味見程度に飲んで、飲みきれない分は側近に下げ渡してる。実はエステルが飲めなくて良かったと思ってるんだ」

アークレインの言葉に、エステルは嘘をついている事に対して少しだけ罪悪感を覚えた。

「偽者のリアの事だけど」

唐突にアークレインは本題に切り込んできた。

「自分はディアナ・ポートリエだと名乗った。今の段階でそれを鵜呑（うの）みにはできないけど、私もあれはディアナ・ポートリエの可能性が高いと思っている」

エステルは息を呑んだ。

「まさか、そんな……」

「エステルが異能で視た貴族並みのマナの量に君に対する負の感情。この二つを備えた貴族の女性なんて、正直他に思い当たらないんだ。念のためディアナに付けていた監視に連絡を取ってみたら無能にも見失っていた。ライルの件で深く傷付いたから旅行に行くと言って家を出て、その途中で行方をくらませたそうだ」

「……確かにかなり怪しいですね」

社交界で出会った人々の中で、ディアナが誰よりもどす黒い負の感情をエステルに向けてきた事を思い出した。候補となる貴族としてはもう一人、オリヴィアも挙げられるが、彼女のマナの量は侯爵令嬢らしくもっと大きかったから除外していいと思われる。

ちなみにエステルを婚約者に迎えた事でレインズワース侯爵は第一王子派と距離を置いたが、現状は中立という姿勢を見せていた。さすがにすぐに第二王子派に鞍替えするのは憚られるらしい。

「リアに化けたのは古代遺物の力によるものだそうだ。一週間程度で元に戻るはずだと本人は主張しているんだけど、その古代遺物の出処が不透明でね……一旦は女の主張通りになるのか様子を見ようと思ってる」

「……確かに今の段階で法の裁きに委ねても、ただのリアに似た身元不明の不審者になりますね」

「うん。それにこの件だけど、裏で糸を引いている者が別にいるかもしれない」

「……黒幕という事ですか？」

「ああ。偽リアは、ルプト族のフロリカという占い師に唆されたと主張しているんだ。ディアナ・ポートリエに付けていた密偵からの報告によると、確かにそういう名の女占い師がポートリエ邸に出入りしていたようだ」

アークレインは憂鬱そうに大きく息をついた。

「ルプト族が絡んでいたら面倒だ。移動型の生活を送る流浪の民には密偵や情報屋など、裏の顔を持つ者が少なくない」

旅芸人、占い師、薬師——ルプト族に多い職業を考えると、確かにそういう裏稼業を持っていてもおかしくないように思えた。

「どこかの貴族に雇われたのか……少数民族の反政府組織が関わっている可能性も考えられる。フロリカとやらが捕まればいいけど、既に姿をくらましていたら背後を探るのは難航する。偽リアの主張通りだと人の姿を変える古代遺物を所持しているらしいからね」

アークレインは前髪を乱暴にかきあげると、ソファに身を預けた。

最近の彼は、時折こうして他人には見せないくだけた姿を見せてくれるようになった。

「あの偽者が本当にディアナ嬢だったとしたら……私、そこまで恨まれていたんですね」

古代遺物で顔を変え、毒殺したいと思うほどに憎まれていたというのは純粋にショックだ。

「本人がエステルを恨んでいたのは事実だが、殺そうとまで思った事はないと主張していて……ここに潜入したのも、ルプト族の占い師に操られたせいだと言い張っている」

「そんな……いくらルプト族でも人を操るなんて……」

「彼らは独自の薬学に精通しているというから、頭ごなしに否定はできないと思う。偽リアが言うには、占いをしてもらう時には必ず不思議な香りのお香を焚いていたそうだ」

「そのお香で洗脳や暗示をしたという事ですか？　そんな事が可能なんでしょうか？」

「占い師や新興宗教によるマインドコントロールの事例は実際に存在するから、ありえない話ではないと思う。それに、ルプト族は国家という枠組みの外で生きる流浪の民だ。エステルのように隠された『覚醒者』が潜んでいてもおかしくない」

言われてみればその通りだ。

「……ただ、これらは全て偽リアがそう主張してるだけだから、根拠になる証拠を摑むために今人をやって調べさせてる。ディアナが持っていた毒は簡単に手に入るものだったから、毒の方向から辿るのは正直難しくて……本物のリアがせめて犯人を目撃しててくれたら良かったんだけど」

残念ながら背後から襲われたので襲撃者の顔は見えなかったらしい。

「私が安易に外出の許可を出したから……」

「エステルだけのせいじゃない。こんな事態が起こる事が想定外だった」

宮殿で働く職員はほとんどが平民でありただの使用人だ。エステルにとってリアは大切な側近だが、一般的な王侯貴族の感覚からすると、一介の使用人を誘拐したところで普通は主人を脅す材料にはならない。しかし、他人の姿になれる古代遺物が存在するとなると話は変わってくる。

「自称ディアナ嬢に会いに行っても構いませんか？」

「……嫌な思いをするかもしれない」

「承知の上です」

じっと隣のアークレインを見つめる。わずかな間の後、アークレインは根負けしたようにため息をついた。

「私も同行する。それが条件だ」

エステルに否やはない。今日はもう遅いので、偽リアの元へは翌日に向かう事になった。

◆

◆

◆

偽リアの所に行く前に、エステルは本物のリアが療養する部屋を訪れた。職員寮ではなく、来客用の寝室をあてがったのは、きっとアークレインなりの気遣いだ。

「リア、ごめんなさい。私の専属女官というだけであなたに怖い思いをさせてしまった」

「エステル様のせいじゃありません。悪いのは私を誘拐した奴らなんですから」

ベッドの中のリアは思ったより元気そうだった。

マナの大きさもエステルを見た時の反応も馴染みのあるリアのものだ。ほっとするのと同時に偽物との違いを改めて思い知る。

「ところで私の偽者って、そんなにそっくりだったんですか？」

「気持ち悪いくらいに似てましたよ。顔が似てるだけじゃなくて、手の爪の形とかほくろの位置まで全て同じでした」

リアに答えたのは傍に控えていたメイだった。その答えを聞いて、リアは薄気味悪そうに呟く。

「うわあ……それはちょっと見てみたいような見たくないような……」

「偽リアを見に行くのは、お医者様とアーク様の許可が出てからね。まずはゆっくり休んで体を治して」

攫われてから丸二日間、水も食事も口にしていなかったようで、リアは発見された時に脱水症状を起こしていた。治療を受けて随分と顔の血色は良くなっているが、まだ起き上がれない状態が続いている。

「そうですね。いい機会なのでしっかりお休みさせてもらいます」

リアは横になりながらエステルに微笑んだ。

「エステル様、悪いのは悪事を企んで実行した人なんです。だからご自分を責めないでください」

「リア……」

不覚にも泣きそうになった。感情表現が素直で裏表がないリアは、エステルが異能に目覚めてからも問題なく傍に居てもらえた大切な側近だ。しかし、だからこそ確認しなければいけない事がある。

「ねえリア、今回の事でここに居るのが恐ろしくなってはいない？」

「……どういう意味ですか？」

「アークレイン殿下の婚約者に選ばれて、私の立場は変わってしまったわ。宮殿はフローゼス伯爵領とは違う。このままここにいたらもっと怖い目に遭うかもしれない。もしあなたが女官を辞めたいと思うなら、お兄様に連絡してまたフローゼスで働けるように……」

「辞めません」

リアはエステルの言葉を遮って主張した。

「私はお嬢様が大好きです。だから辞めたくありません。お嬢様が私を不要だと仰るのであれば仕方ありませんが……」

「リア……ありがとう」

エステルはリアの手を握って心からの感謝を告げた。

◆
◆
◆

天秤宮の地下牢はかび臭く、じめじめしていた。石造りの無骨な廊下は底冷えがして、ここに長時間いるだけで病気になりそうだ。

「宮の中にはこんな場所があったんですね」

宮殿に入ったばかりの時には案内されなかった場所だ。エステルは辺りを見回しながらアークレインに話しかけた。

「王室の暗部に繋がる場所だから。ここの存在は式を挙げた後に教える予定だった」

そう答えるアークレインからは不本意だという感情が読み取れる。

「宮殿内には牢もあれば様々な隠し通路や仕掛けもある。その辺りはちゃんとした王族の一員になってからじゃないとさすがに教えられない」

首都アルビオンは、古代ラ・テーヌ王国が大ローザリア島を征服した時に総督府が置かれた場所だ。宮殿はラ・テーヌ時代の総督府の遺構を利用して建築されていて、失伝技術(ロストテクノロジー)による仕掛けが数多く眠っていると言われている。

エステルがアークレインに連れていかれたのは、罪人との面会のために設けられた部屋だった。室内は鉄格子付きの窓で仕切られ、教会の告解室を連想させる作りになっている。

護衛官によって面会室に引き出された偽リアは、エステルを見て一瞬怒りの表情を浮かべたものの、すぐにさあっと青ざめた。偽者の視線はエステルの背後に立つアークレインに向けられている。

拷問はしていないと言っていたけれど本当だろうか。エステルは思わず偽リアの全身を確認した。さしあたっておかしなところはないが、爪に拷問すると脅した時に、軽く突（つつ）く程度の事はしているかもしれない。

「何か……まだお聞きになりたい事があるんですか……？」

偽リアは震えながら怯えている。

「アーク様、話にならなさそうなので二人にして頂けませんか？」

「私が立ち会うのがこれに会わせる条件と言ったはずだ」

「どうせ監視を置いていらっしゃるじゃないですか」

面会室の中は、四人の護衛官によって厳重に警護されている。

エステルはアークレインの答えを待った。アークレインはエステルから目を逸らすと、小さく息をつく。

「わかった。ただし妙な気配を感じたらすぐに戻ってくる」

渋い表情で了承すると、アークレインは面会室を退室した。

「ディアナ・ポートリエと名乗ったそうね。リアの偽者」

アークレインが居なくなった事を確認してから、エステルは偽リアに声をかけた。

「……顔を変える古代遺物（アーティファクト）のせいで証明はできないけど、私はディアナ・ポートリエよ」

偽リアはどこか疲れた表情で答えた。そして悔しげに唇を噛む。

「何しに来たの？　私を笑いに来たの？　馬鹿みたいよね。ルプト族の占い師に唆されて、こんな大それた事をしでかしたんだもの！　あなたのせいで私の人生ぐちゃぐちゃよ！」

「無礼な！」

向こう側の護衛官がディアナを制圧しようと動いた。エステルはそれを手で制止する。

「自由に言わせてあげて構わないわ」

どうせ吠える事しかできないのだ。この女に何を言われようが痛くも痒くもない。領主貴族に生まれた人間として、罪人の扱いは心得ているつもりだ。

嘲りの雰囲気が伝わったのだろう。偽リアは本物のリアと同じ色合いの青紫の瞳に怒りをみなぎらせ、憎々しげにこちらを睨みつけてきた。

「私を恨む気持ちを利用された、そう主張しているそうね」

「そうよ！　フロリカを調べて！　私、あなたの事が本当に憎くて大嫌いだけど、だからって殺そうとは思わないわ！　お願い。私、このままじゃ大逆罪で処刑されちゃうかもしれない！　そんなの嫌よ！」

必死に弁解する偽リアの姿に、エステルの中に湧き上がった感情は呆れだ。『独特な思考回路の持ち主』とアークレインが評価した理由がよくわかった。

罪を認めず、反省もせず、その口から出てくる言葉は責任転嫁と自己弁護ばかりだ。

「……どうして私があなたに憎まれなければならないの？」

偽リアの正体が本当にディアナだったとしたら、憎みたいのはこっちの方である。

「ライル様がずっとあなたの事ばっかり見るからよ！　なんなのよ！　私の方がずっと綺麗で可愛いのに！」

偽リアが吐き捨てた答えにエステルは呆気に取られた。

「なんであなたみたいなのがアークレイン殿下に見初められたのかしら？　ライルも殿下もあなたばっかり！　そんなのおかしい！　ずるいのよ！」

どうしてよく知りもしない人間から、こんな侮辱を受けなければいけないのだろう。まるで未知の生き物を相手にしているような気分になった。

「ライル様が薬物に手を出したのもあなたのせいよ！　エステル・フローゼス！　お前さえいなければ！」

目の前にいる偽リアがディアナである確率が上がった。ライルが薬物に手を出した事を知るのは、緘口令が敷かれているので限られた人間だけのはずだ。

「どうせ体を使ったんでしょ！　あなたの胸って牛みたいだもの！」

ヒートアップする偽リアに反比例するように、エステルの気持ちはすうっと冷えていく。

「どうして何も言い返さないのかしら。認めるの？」

「言い返す価値もないからよ」

挑発に絶対零度の視線を返すと、偽リアはたじろいだ。

彼女が本当にディアナだったとしたら——ライルが薬物に手を出した理由もわかる気がした。

まるで駄々をこねる子供だ。ライルは温厚で物静かな性格だったから、この勢いで振り回されていたとしたら精神的にやられてもおかしくない。

エステルは席を立つと無言で踵を返した。すると背後で偽リアが騒ぐ。

「待ってよ！　私、確かにあなたが嫌いだったけど、本当に殺そうとまでは思ってなかったの！　フロリカよ！　フロリカが私に毒を渡したの！」

エステルは偽リアを無視し、面会室を出た。すると外で待機していたアークレインが話しかけてくる。

「ここまで聞こえてきたよ。気分は害してない？」

「大丈夫です。あの方に私がそんな感情を向ける価値はありません」

微笑みかけるとアークレインはわずかに目を見張った後、表情を和らげた。

「そうだね、あの偽者にそんな価値はない」

エステルは差し出された手を取り、アークレインのエスコートを受けながら牢を後にする。その道すがら尋ねた。

「あの人は今後どうなるんでしょうか？」

「そうだね……エステルはどの程度の処罰を望む？」

「どうして私にそんな事をお聞きになるんですか？」

「今回の件の被害者はリアとエステルだから。リアに確認したらエステルに任せるって。厳罰を望むのか、それとも情状酌量の余地があるのか、エステルの中での処罰感情はどれくらいなのか知っておきたい」

「…………」

エステルは考えた。そして、しばしの沈黙の後に結論を告げる。

「……少し考えさせて下さい。今の時点では即答はできません」

偽リアの正体がディアナだとまだ決まった訳ではないし、裏で手を引いていたルプト族の占い師がいるのかも今の段階では定かではない。

「わかった。答えが出たらまた聞かせてほしい」

この回答はアークレインにとって好ましいものだったようだ。マナの色合いから感情を読み取って、エステルは口元を緩めた。

◆◆◆

偽リアの件で動きがあったのは、更にその二日後だった。囚人の様子がおかしいと連絡を受け、駆けつけたアークレインは、牢の中を覗き込んで息を呑んだ。

牢の中には、蹲る女の姿がある。その背中が不気味に波打っていた。

「あああああぁっ！」

女は獣のように絶叫している。

苦悶（くもん）の表情を浮かべ、冷たい床に爪を立て、もがき苦しむ様子は見るに堪えない。

何よりも、骨や筋肉などの形を無視し、うねうねと動く体が異様だ。肩甲骨が大きく盛り上がったかと思うと引っ込み、次は手の骨があらぬ方向へとメキメキと音を立てながら曲がる。全身がそんな奇怪な動きを見せているのだ。アークレインは目を疑った。

「申し訳ございません、殿下。急に呻き始めたかと思ったらこの状態になって……下手に触れるのも憚られる状態で、我々としてもどうすればいいのか……」

アークレインを呼びに来た護衛官は青ざめておろおろしている。執務室で一緒にいて、アークレインとここに下りてきたクラウスも顔色が悪い。

「痛いぃぃぃ！　痛い痛い痛い、うっ……ああああっ!!」

ずるり、と偽リアの髪が抜けた。

茶色の髪がごっそりと抜け落ち、代わりに金茶の髪が根元から生えてくる。

アークレインの頭の中に浮かんだのは『代償』という言葉だ。

強力な古代遺物(アーティファクト)の中には、時に使用者にとんでもない代償を要求するものがある。

例えばローザリア王室が所有する古代兵器。

天空より裁きの雷を呼び寄せ、大地を焦土に変えるという古代遺物が宮殿の地下に眠っているが、起動させるには王族の生贄(いけにえ)と莫大な量のマナを捧げなければいけないと伝承されている。

他人の姿に肉体を変える古代遺物となると、アークレインが以前使った髪と目の色を変える腕輪とは比較の対象にもならないくらい強力だ。顔だけでなく骨格やほくろ、ちょっとした傷さえも再現するという効果を考えるとこの惨状にも納得できた。

肉体を作り替えた代償は、変身の時の痛みのみで済むものであればいいが……。

癖のない真っ直ぐな茶色の髪は、くるくると渦巻く豪奢な金茶に。働き者の無骨な手は、細く白い貴族の手に。アークレインの目の前で、不気味に蠢きながら、偽リアはその姿を変えていく。

変貌が落ち着いた時現れたのは——。

(ディアナ・ポートリエ)

エステルを酷く傷付けた女の姿だった。——となると、彼女の供述も信憑性を帯びてくる。

しかしルプト族の女占い師、フロリカの足取りは依然摑めていない。

そういう女が存在して、隔離居住地に住居があったところまで突き止めたが、既に家は引き払った後でもぬけの殻だった。

あそこは首都の暗部だ。一種の無法地帯のため深く探るのは難しい。そもそもこんな大それた事をしでかして、いつまでも首都に留まっているとも思えない。恐らく黒幕探しは難航するだろう。

ただ一つ言えるのは、王妃やマールヴィック公爵は無関係の可能性が高い。

マールヴィック公爵は民族主義者で有名だ。平然と人種差別的発言をして昔から世間を騒がせてきた。移民や流浪の民を嫌っているから、彼らを自分の手足として使う事はまず考えられない。

しかし、それは変身の古代遺物を持つ未知の敵の存在を示すものだ。エステルの異能の重要性がますます増した。アークレインは婚約者の顔を思い浮かべて小さく息をついた。

最近の自分は変だ。エステルの顔を見ると心がざわめく。一度この腕の中に抱けばこの感情は治まるかと思ったのに、むしろ落ち着かない気分が増していく。

アークレインは焦燥を感じながらディアナを閉じ込めた牢を一瞥した。

◆　◆　◆

偽リアの正体を知らせるためにエステルを探すと、彼女は天秤宮の居間でピアノを弾いていた。

ピアノは上流階級の女性には必須の教養である。音楽系のサロンに参加した時に演奏を求められる事があるからだ。サロンはティーパーティーと共に重要な女性の社交である。

エステルが弾いているのは、社交界で流行っている可愛らしい舞曲だった。

残念ながらお世辞にも上手いとは言えない。何度も同じ所で間違えるしつっかえる。しかし、なるべく丁寧に弾こうとしているのが伝わってくるエステルらしい演奏だった。

よっぽど集中しているのか、アークレインが居間に入った事にも気付かずエステルはピアノを弾き続けている。ようやくこちらに気付いてくれたのは、曲を一通り弾き終えた時だった。

「いらしてたのなら声をかけて下さったらよかったのに」

恥ずかしいのか、頬を染めながらの苦情が可愛らしい。

「演奏の途中で遮るのも悪いかなと思って」

「次からは声をかけて下さい」

エステルはむすっとした顔でそう告げると、楽譜の片付けを始めた。

「一応知らせておきたい事があって」

「？　何かあったんですか？」

「偽リアの体が元に戻った。彼女の正体はディアナ・ポートリエだった」

「……そうでしたか」

エステルは静かに受け止めると、じっとアークレインを見つめてきた。

「ルプト族の占い師については何かわかりましたか？」

「いや、残念ながら足取りを追うのは難しそうだ」

「黒幕はいるとお考えですか？」

「そうだね。ディアナ・ポートリエという人物を見た限り、一人でこんな事ができるとはとても思えない。強力な古代遺物（アーティファクト）も絡んでいる以上、何者かにエステルに対する悪い感情を利用された可能性が高いと思う」

父親のポートリエ男爵は恐らく無関係だろう。こんな計画に関わらせるにはディアナの頭が悪すぎる。失敗を前提としたアークレインを脅すための捨て駒と考えるのが一番しっくりとくる気がした。

「以前考えさせて下さいとお伝えしていた処罰感情の件ですが、今お伝えしても構いませんか？」

「ああ。エステルの意見を聞かせてほしい」

「……私の命を狙った事よりも、リアを誘拐して衰弱させた事が許せないです。ライルもあの人に目を付けられたせいで薬物に手を出してしまった。たとえ黒幕がいて操られていたんだとしても、法に則（のっと）った厳正な裁きを……と思います。でも……」

エステルは一度言葉を切り、言いにくそうに口ごもった。

「法律に則ってあの人を裁けば、大逆罪に問われますよね？」

「……そうだね。この宮に毒物を持ち込んだからね」

ローザリアの刑法では、国王、王妃、国王の長男の死を企んだ者、そして王妃、未婚の王女、国王の長男の妻を穢そうとした者には大逆罪が適用される。

王家への害意は国家への反逆と同義と見なされ、かつては死刑の中でも最も重い、『引きずり回し・死ぬまでの首吊り・死後の斬首と四つ裂きの刑』に処せられた大罪だ。今ではこの残酷な処刑方法は人道的な観点から廃止され、絞首刑のみに切り替わっているが、計画を立てただけでも罪に問われる可能性がある重罪である。

「本来であれば法の裁きに委ねるべきなんでしょう。……でも、あの人がこの件で処刑されたら、心が痛むと思うんです」

「実際そこまでいくかはわからないけどね。家や商会の名誉に関わる事だから、ポートリエ男爵が私財を投げ打って助命嘆願するだろうし、ルプト族の関与が証明されたら情状酌量されるかもしれない」

「大逆罪の過去の判例について調べました。たとえ大逆予備罪であっても悪ければ絞首刑、良くても無期刑になりますよね」

「……そうだね。エステルはこれを重いと思う？」

アークレインの質問に、エステルの瞳が揺れた。動揺が伝わってくる。

「私は……自分の意見で人一人の命が左右されるかもしれないというのが怖いです。……罪を犯せば相応の罰を受けるのは当然の事だと思います。でも……」

エステルは一度言葉を切ると目を伏せた。そして、しばしの沈黙の後、意を決したように再び口を開く。

「責任転嫁と思われるかもしれませんが、この件はアーク様にお任せしてもいいでしょうか」

エステルは顔を上げると、アークレインの顔を真っ直ぐに見つめてきた。感情を見透かす赤紫の眼差しが、アークレインの視線と交錯する。

「この件を利用すればポートリエ男爵と取引ができる。心の中ではそうお考えではありませんか？」

その指摘に心がわずかに痛んだ。アークレインの計算高い本音が見抜かれている。

……これまで何度も彼女にそんな姿を見せてきたのだ。見抜かれても当然だ。なのに、どうして自分は動揺しているのだろう。

「アーク様には私の意見なんて無視して、なさりたいようにする権力をお持ちです。だけど私の意思を尊重しようとして下さったんですよね？　それが嬉しいのと同時に大逆罪が関わるせいで重たいとも思えて……申し訳ありません、私にも頭の中の考えを上手く言語化できなくて、上手く説明ができないんですけど……」

途切れながらの言葉からは、エステルの葛藤や真摯な感情が伝わってくる。

「この件がアーク様の役に立つのなら……嬉しいと思う感情が私の中にはあるんです。リアは死にかけたのに、酷い主人ですよね」

自嘲の笑みを浮かべるエステルに、アークレインは思わず手を伸ばした。髪に触れ、よく手入れされた艶やかな栗色の髪に梳くように触れる。

「それ以上言わなくていい。エステルの言いたい事はなんとなくわかったから」

「………」

エステルは沈黙すると、気まずげに視線を逸らした。

「この件は私に預けてくれる。そういう事でいいかな？」

アークレインの言葉にエステルは頷いた。

「できれば、今後はあの人と顔を合わせないですむようにして頂ければ私はそれで十分です。どうかこの件はアーク様のお役に立てて、ご自身が有利になるように『使って』下さい」

「……わかった」

厳しいと評判の女子修道院に入れて終生誓願を立てさせるというのが現実的だろうか。

終生誓願というのは生涯を神に捧げるという誓いの事である。この誓いを立てて修道生活に入った場合、還俗（げんぞく）は認められず、死ぬまで修道女として過ごす事になる。それに加えてポートリエ商会を第二王子派から切り離せたら……。

どこまでの条件が引き出せるかの計算をする一方で、アークレインはそんな自分を嫌悪する感情が存在する事に気付いた。自分にとって理想的な方向で決着がつけられる事を喜ぶべきなのに、『利用していい』とエステルに言わせた事に心が痛み、内心のざわめきがより大きくなる。

この気持ちの揺らぎは危険だ。脳内で警鐘が鳴る。

感情の揺れは隙になる。人間らしい感情は、未来が不確定な今のアークレインには不要なものだ。

気持ちを切り離さなければ。心の中に封じてしまえ。

だけど指先に残る彼女の髪の感触が消えない。アークレインはそっと右手を握りこんだ。

◆　◆　◆

ディアナが天秤宮に不法侵入して捕まった。しかも捕まった時毒物を持っていたらしい——その知らせをアークレインから受け取ったディアナの父、ヒューズ・ポートリエは耳を疑った。

ライルとの婚約破棄に傷付いたディアナは、侍女のユフィルを連れて傷心旅行に出かけたはずだ。

慌ててユフィルに持たせていた通信魔導具で連絡を取ったところ、ユフィルに相当な額の小遣いを握らせてどこぞに行方をくらませたという。それも、よく邸に来ていたルプト族の占い師と一緒に。

（あの馬鹿娘……）

ライル・ウィンティアを略奪してから、ずっと彼の元婚約者であるエステル・フローゼスを意識しているのはヒューズも知っていた。怪しげな占い師を邸に招き、エステルとライルに対する愚痴を吐き散らしていた事も。

しかし、自分も商会を運営するにあたって占い師の助言を参考にする事があるため、あまり強く言えなかった。またヒューズにとってディアナは可愛い末娘だった。

かなり甘やかした自覚はある。だが、まさかこんな大それた事をしでかすとは。

ライルを事故に見せかけて排除しようとしたのは失策だっただろうか。ヒューズは心の中で呟いた。

ふらふらと道を歩いていたライルを、馬車の前に突き飛ばすよう人を雇って手配したのはヒューズだった。薬物中毒者を娘婿に迎える訳にはいかない。そう思っての親心だ。しかしそれが結果的にディアナの暴挙に繋がったのだとしたら、ちゃんと説得して本人を納得させるべきだったという後悔の気持ちが湧き上がる。

ユフィルにはすぐ戻ってくるよう伝えたが、このまま姿をくらませる可能性が高いとヒューズは思っている。戻ってきたところで待っているのは叱責と解雇だ。わざわざ帰ってくる理由はユフィルにはない。

これはかなりまずい事態である。アークレインからの呼び出しを受け、ヒューズは頭を抱えた。国王の長男であるアークレインに害意を向けたとなると大逆罪に問われる可能性がある。もし表沙汰になれば、ディアナが罪に問われるだけでなく、商会も大きな影響を受けるだろう。

まずは事の真偽を確かめなければ。そして本当にディアナが天秤宮に捕らわれているのなら、なんとか穏便に済ませてもらわなければならない。ヒューズは頭を抱えつつも、宮殿に向かうための準備を始めた。

◆　◆　◆

「どうせなら見たかったです。私のそっくりさん」

自分の部屋でゆったりと過ごしていたエステルは、残念そうなリアの発言に思わず苦笑いした。

リアが回復した時には既に偽リアは元の顔に戻った後だったので、結局本人と偽者の対面は実現しないまま終わってしまった。

「よくそんな事が言えますね。あなた下手したら死んでましたよ」

冷静に返したのはメイだ。エステルもそれに同調する。

「人間、水を飲まずに生きていられるのは三日が限界らしいわよ。あと一日見つかるのが遅かったら……」

「そう思うとゾッとしますね」

リアは顔を曇らせると身震いした。

偽リアの事件はいつも明るい彼女に影を落とした。誘拐されて目覚めたらたった一人、人気のない民家の中に縛られて、水も食料もなく、どんなに心細かったかを考えると心が痛む。

現在この天秤宮にはポートリエ男爵が訪問していて、ディアナの処遇についての話し合いが行われている。

当のディアナはまだ地下牢だ。地下はあまりいいとは言えない環境だが、ディアナの健康状態に問題はなく、今も元気にフロリカへの文句を言い続けているそうだ。

変身が解ける時のディアナは、体があらぬ方向に曲がったり、髪が一旦全部抜け落ちたりと、それはもう凄まじい様子だったというが、幸い変身の古代遺物(アーティファクト)には、元の肉体を損なうような副作用はなかったらしい。

話し合いの様子は聞かせたくないというアークレインの意向で、エステルは、今日は一日中自室で過ごすようにと言われていた。

いつもの事だがアークレインは過保護だ。しかしこの真綿の檻の中で、ほんの少しの息苦しさと同時に、嬉しさを感じ始めたあたりエステルも重症だ。

エステルに接するアークレインはとても優しい。まるで壊れ物を扱う時のようにエステルを尊重して大切にしてくれるのだ。愛されていると勘違いしそうになるくらいに。

天秤宮に住まいを移してからの事を振り返ると、宮殿の生活にすっかり順応している自分がいた。フローゼス伯爵領にいた時は、何かと外出する機会が多かったので自分でも気付いていなかったが、エステルは、外に出る必要がなければいくらでも室内で過ごせる気質だったらしい。

「結局ディアナ・ポートリエに関してはアーク様にお任せする事にしたけど、リアはそれで良かったのかしら？」

尋ねると、リアはこくりと頷いた。

「エステル様がお決めになった事ですから。私は学がありませんので、どれくらいの罪が妥当なのか判断ができません」

労働者階級の識字率は低く、リアもかろうじて読み書きができる、というレベルである。

魔導具の進歩によって工業化が進み、首都や王家直轄領では初等教育が義務化しつつあるが、地方の農村部はまだそこまでの水準には達していない。首都の子供達に比べると、フローゼス伯爵領は明らかに遅れていて、それを思うとエステルの中には苦いものが湧き上がった。

◆◆◆

エステルがアークレインからポートリエ男爵との話し合いの結果を知らされたのは、その日の夜、共通の寝室のソファに並んで座り、就寝前のティータイムを共にしていた時だった。

「ディアナ・ポートリエは心を病んだという名目で、鉄格子(てつごうし)の付いた病院に入院する事になった」

「えっ……」

戸惑うエステルに向かってアークレインは続ける。

「こちらは女子修道院行きを提案したんだけどね……あちら側から、より目の行き届く環境で監視したいと申し出があった。もちろんこちらからも監視は送るつもりだ」

「……そうですか」

修道院と病院、どちらの方がディアナにとってより辛い処罰なのか、エステルには判断がつかない。

だが、今後彼女が表舞台に出てくる事はないのだと思うと、嘲笑いたい気持ちや優越感が湧き上がる。

そんな自分の醜さへの嫌悪や罪悪感などが混ざり合って気持ちが沈んだ。

「こちらに有利な取引もいくつか結べた。……処分を全て委ねてくれてありがとう」

エステルがどう反応していいか迷っているせいか、アークレインのマナは薄く陰っている。

「複雑？」

尋ねられて、エステルは首を振った。

「ディアナ・ポートリエは犯罪者です。処罰されて然るべきだと思います。ですが、黒幕がいるかもと考えると気味が悪いですし、何よりアーク様に申し訳なくて……」

慎重に言葉を選びながら答えると、アークレインは眉をひそめた。

「……何故この話の流れで私が出てくるのかな」

「あの人がここに侵入したのは私のせいです。ただでさえアーク様は政争に神経をすり減らしていらっしゃるのに」

そう告げた瞬間、アークレインのマナが更に陰った。

「夫婦とは、『いついかなる時も共に助け合うもの』だ」

アークレインが引用したのは、メサイア教式の結婚式で新郎新婦が交わす誓いの言葉の一節だった。

「私のせいで、君は暗殺者の標的になっている。ボウガンで狙われたのを忘れたのか」

「あの時は殿下が異能で守って下さいました」

「一歩間違えれば落馬していたかもしれない。迷惑という意味では、ずっと私の方が君に負担をかけている」

アークレインの言葉に、エステルはわずかに顔を上げた。

「君を婚約者として強引に迎えた事を省みるつもりも撤回するつもりもない。……だけど、巻き込んで申し訳ないという気持ちが存在しない訳でもないんだ」

エステルが目を見開くと、アークレインは苦々しい表情で更に続けた。

「私には君を守る義務がある。そもそもディアナの暴挙の動機は私にもあるかもしれない」

「そんな事……」

「心の中で見下していた君が、未来の王子妃という立場を手に入れたんだ。更にライルは気持ちを君に残しているようだ。強い嫉妬が今回の事件の引き金になったのは間違いない」

「違います！　アーク様のせいでは……！」

エステルは慌てて否定した。

「その理屈で言うと、君のせいでもない。勝手に嫉妬してこんな事件を起こしたあの女が全面的に悪い」

冷静に言い返され、エステルはぐっと詰まる。

「私にできるだけの事はする。それが君の負担に対する対価だ」

アークレインの言葉に胸が締め付けられた。

こう言われるのは初めてではないし、実際大切にされている。だけど——。

『義務』、そして『対価』。些細な言葉に勝手に傷付く自分が嫌になる。

しかも、マナの色合いからすると、不用意な自分の言葉でアークレインを怒らせてしまったようだ。

何か言葉を返さなければ。

そう思うのに、うまく言葉が出てこない。

「ありがとう、ございます……」

どうにか感謝の言葉を絞り出すと、アークレインから物言いたげな視線を向けられた。

しかしその真意を問いただす勇気は持てなくて、エステルは目を逸らす。

すると、微かな衣擦れの音がしたかと思ったら、アークレインの指先がエステルに伸ばされ、次の瞬間には、その腕の中に抱き込まれていた。

アークレインは相変わらず、どこか仄昏（ほのぐら）い感情を抱いている。

（私の機嫌を取ろうとなさっているの……？）

彼の行動の意味を考えて困惑しながらも、エステルはアークレインの温もりに体を預けた。

あとがき

初めまして、森川茉里と申します。

このたびはこの本をお手に取って頂きありがとうございます。

この作品は、第一回ドリコムメディア大賞にて、銀賞とDRE STUDIOS賞を受賞いたしました。

まさかこのような大きな賞を頂けるとは思っていなかったので、受賞の連絡を頂いた時から、まるで夢の中にいるような状態が続いています。


『紙の本を出版したい』という夢を後押ししてくれた家族と、ウェブに投稿した際に応援してくださった読者の方々がいなかったら、この作品が世に出る事はなかったと思います。


また、この作品の刊行には、多くの方のお力をお借りしました。

イラストをご担当いただきましたボダックス先生。美しいカラーイラストと挿絵を描いて頂きありがとうございました。お引き受け頂いたとお聞きした時の喜びは言葉では言い表せません。

担当の上山様。出版について右も左もわからない私を導いてくださいました。面倒臭い質問やら要望を沢山したと思うのですが、その都度丁寧にご対応いただき感謝しております。

題字を手掛けてくださったデザイナーさん、校正者さん、お名前がクレジットされない裏方の方々のご尽力があって、こうして無事出版まで漕ぎつけることができました。この場をお借りして皆様に御礼申し上げます。

この作品はWebtoon（縦読みのカラー漫画）化が決まっております。

このあとがきを書いている時点では、どんなものが出来上がるのか想像もつかないのですが、凄いものになりそうな予感がします。

原作者という立場から制作に関わらせては頂いているのですが、一読者としても完成した作品を拝見するのがとても楽しみです。配信が始まりましたら、是非こちらもご一読下さい。

そして、この物語には実はまだ続きがあります。続編が刊行された際は、またお手に取って頂けると幸いに存じます。

森川茉里

DRE NOVELS

婚約破棄のその先に
～捨てられ令嬢、王子様に溺愛（演技）される～

2023年5月10日　初版第一刷発行

著者　森川茉里
発行者　宮崎誠司
発行所　株式会社ドリコム
〒141-6019　東京都品川区大崎2-1-1
TEL　050-3101-9968
発売元　株式会社星雲社（共同出版社・流通責任出版社）
〒112-0005　東京都文京区水道1-3-30
TEL　03-3868-3275
担当編集　上山拓也
装丁　AFTERGLOW
印刷所　図書印刷株式会社

Printed in Japan
ISBN978-4-434-31877-1

ファンレター、作品のご感想をお待ちしております。

右のQRコードから専用フォームにアクセスし、作品と宛先を入力の上、コメントをお寄せ下さい。
※アクセスの際に発生する通信費等はご負担ください。